KB092606

논·술·한·국·대·표·문·학

49

식구·소음공해

박범신 | 오정희 | 한수산 | 양귀자

사월의 끝 · 다시 시작하는 아침 외

훈민출판사

'녹원 문학상' 시상식에 참석한 한수산. 부인과 김구용(가운데) 씨와 함께

The Best Korean Literature

한수산은 섬세한 감수성으로 인간의 내면에 감추어진 진정한 삶의 모습을 표현하는 작가이다.

서재에서 휴식을 즐기고 있는 한수산

자택 베란다에서 작품 구상을 하고 있는 박범신

박범신은 독자로 하여금 양심과 정의·순수를 돌아보게 만드는 작가이다. 그는 그늘지고 소외된 사람들의 이야기를 해 보임으로써 우리의 부끄러움을 일깨워 준다.

명지대 야외음악당에서 학생들과 즐거운 시간을 보내고 있는 박범신

KBS 방송국과 함께 히말라야로 촬영을 떠났을 때의 박범신. (뒤에 보이는 것은 안나푸르나 봉)

여행의 자유로움을 즐기고 있는 오정희. 라인강 유람선에서 시인 정현종, 김광규 선생과 함께.

The Best Korean Literature

오정희는 삶의 허구성과 일상의 단조로움을 섬세하면서도 대담한 필치로 그려 낸다.

책 번역을 맡아 준 플턴 선생, 소설가 최인호와 함께한 오정희.

구인환(丘仁煥)

서울대학교 사범대학 졸업. 동 대학원 졸업(문학박사)
서울대학교 명예교수, 소설가(현). 서울대학교 사범대학 국어교육연구소 소장(현)
문학과문학교육연구소 소장(현). 국제펜 한국본부 부회장(현)
한국소설문학상(1987) 예술문화대상(1994) 한국문학상(2000)
작품 〈숨쉬는 영정〉, 〈살아 있는 날들〉, 〈일어서는 산〉 외 다수

• **저서** 《한국단편소설의 이해》, 《한국현대소설의 비평적 성찰》,
　　　《고교생이 알아야 할 소설》, 《고교생이 알아야 할 세계단편소설》 외 다수

윤병로(尹柄魯)

성균관대학교 국어국문학과 졸업. 동 대학원 졸업(문학박사)
성균관대학교 교수, 문학평론가(현). 한국현대소설학회장(현)
한국문예학술저작권협회 이사(현). 한국간행물윤리위원회 위원(현)
한국펜 문학상(1987). 한국문학상(1988). 대한민국문학상(1989)
수필집 《나의 작은 애인들》

• **저서** 《현대 작가론》, 《한국 현대 소설의 탐구》,
　　　《한국 근대 작가 작품 연구》, 《한국 현대작가의 문제작 평설》 외 다수

홍성암(洪性岩)

고려대학교 국어국문학과 졸업. 한양대학교 대학원 국어국문학과 졸업(문학박사)
동덕여자대학교 교수, 소설가(현). 한국문인협회 회원(현)
한국소설가협회 이사(현). 국제펜 한국본부 소설분과 이사(현). 한민족 문화학회 회장(현)
창작집 《큰 물로 가는 큰 고기》, 《어떤 귀향》 외
대하역사소설 《남한산성》(전9권) 외 다수

• **저서** 《문학의 이해》, 《현대 작가론》, 《한국 근대 역사소설 연구》 외 다수

기
획
·
감
수

◀양귀자는 〈원미동 사람들〉을 통해 소시민들의 은밀
한 욕망을 사실적으로 그려 냈다.

▼오정희의 단편 〈유년의 뜰〉의 배경이 된 충남 홍성
군 남산공원 일대. 이 곳에서 보낸 5년 동안의 기
억이 작품 속에 그대로 녹아 있다.

논술 한국대표문학을 펴내며

21세기의 사회는 '전자 문명 시대'라 일컬어질 만큼 오늘날 전자 산업은 우리 생활의 거의 모든 분야에 다양하게 응용되고 있습니다. 출판 분야 또한 예외는 아니어서, 종래의 서책(Book) 대신에 이른바 '전자책(CD-ROM)'의 출간이 최근 들어 날로 증가하고 있습니다.

그러나 이러한 전자책은 영상 또는 모니터상으로 흥미 위주나 백과사전식 지식을 습득하는 데는 효과적일지 모르지만, 문학 공부를 위해서는 별로 도움이 되지 않습니다. 바꾸어 말하면, 문학 공부는 각 지면마다 살아 숨쉬는 표현 하나하나를 독자 자신의 머리로 음미하면서 작품을 읽어 나가는 가운데, 풍부한 상상력의 배양과 함께 작가의 의도와 그 작품의 내면을 깊이 있게 이해함으로써 이루어지는 것입니다.

이에 훈민출판사에서는, 자라나는 학생들이 범람하는 영상 매체에 길들여지기 전에, 어려서부터 유명한 세계문학 작품들을 책자를 통하여 감명 깊게 읽고 감상함으로써, 올바른 문학 공부의 기틀을 다지고, 아울러 전인 교육도 할 수 있도록 《논술 한국대표문학(전60권)》을 펴내게 되었습니다.

작품 선정은, 초·중·고등학교 국어 교과서와 역사 교과서에 실리거나 소개된 문학 작품을 중심으로 하되, 그리스 신화와 성경 이야기 등의 고전에서부터 중세·근대·현대에 이르기까지 세르반테스·셰익스피어·톨스토이 등 세계 유명 작가들의 장·단편 소설들을 엄선·수록하였습니다. 또 세계의 명시도 별권으로 엮었으며, 특히 각 단락마다 '논술 문제'를 제시하여, 장차 대학입시를 비롯한 각종 '논술 고사'에 예비 지식을 쌓을 수 있도록 배려하였습니다. 아무쪼록, 이 《논술 한국대표문학(전60권)》이 자라나는 학생들에게 문학 공부의 주춧돌이 되고, 나아가 미래를 살아가는 데 정신적 자양분이 되기를 진심으로 바라 마지않습니다.

훈민출판사

차례

한수산

사월의 끝
미지의 새

지은이

1946~. 강원도 인제 출생. 1972년 《동아일보》 신춘문예에 〈4월의 꿈〉이 당선되어 문단에 데뷔했다. 상징주의와 리얼리즘을 융합하여 생명을 파괴시키는 집단과 물질문명에 대한 비판 등을 그려 냈다. 1977년 오늘의 작가상, 1984년 녹원 문학상 등을 수상했으며, 주요 작품으로는 〈미지의 새〉, 〈비늘〉, 〈문〉 등의 단편과 〈해빙기의 아침〉, 〈안개 시정 거리〉 등의 중·장편이 있다.

사월의 끝

"참 싱싱해 뵈죠?"

다방 안으로 들어와 앉는 등산복 차림의 여자들을 보면서 형수는 말했다. 밖에는 문득 새옷을 갈아입고 싶게 만드는 사월의 오후가 화사하게 가로수 위에서 반짝거리고 있었다.

나는 그들 중의 한 여자를 어디서 본 듯했다. 그 때 저쪽에서도 나를 보았는지, 어머 선생님 안녕하세요, 했다. 나는 고개를 끄덕였다.

"아니, 선생님이라니…… 어떻게 되는 거예요?"

형수의 물음에 나는 웃었다.

"전에, 그러니까 일학년 때 저 여자의 동생을 가르친 적이 있어요. 내게도 별 호칭이 다 있군요."

나는 또 웃었다. 그것은 선생님이라는 나의 대명사 때문은 아니었다. 영문과생인 나는 선배의 소개로 초등학교 6학년 여자애에게 영어를 가르치고 있었다. 영리하면서도 엉뚱한 데가 있어서 나를 당황하게 하던 애였다. 하루는 쉬는 사이에 라디오를 듣고 있었다. 음악이 끝나자 '두통 치통 생리통에 사리돈 한 알' 하는 약 선전이 들렸다. 아이가 연필을 깎다 말고, 선생님 전 두통 치통은 알겠는데 생리통은 뭔지 모르겠어요, 하고 말했다. 나는 혼자 죄스러워져서, 언니한테 물어봐, 그건 언니가 더 잘 아니까——해 버렸던 것이다. 직무유기는 내 목을 잘랐다. 이 착한 아이는 생리통에 대하여 아무것도 알지 못한 채 절망해 버렸고, 나는 아래층에서 들리는, 뭐 그따위 가정교사가 다 있어, 하는 여자의 커다란 목소리에 몸을 떨었다. 결국 나는 일차적인 성징도 느낄 수 없는 후임 여학생의 밋밋한 가슴에서 ○×를 겹쳐 놓은 것 같은 국립 서울대학교의 배지가 빛나는 것을 보면서 하야해야만 했다. 그 집을 빠져나오며 저 여자는 아마도 가슴의 배지처럼 모든 문제에 선명하게 ○나 ×를 그을 수 있으리라 생각했었다. 남자가 생리통 때문에 일자릴 잃다니.

혼자 웃고 있는 내가 형수는 또 우스운가 보다. 공연히 웃는다. 우리는 차를 시켰다.

"갑자기 자신이 부끄러워지네요."

형수는 지친 듯 서른한 살의 나이를 의자 등받이에 기대었다. 창밖에서는 십육 층의 대학병원이 우리를 찾으며 기웃거리고 있었다.

······이십오 일날 오십시오. 초기 단계인 것 같습니다만 일단 결과가 나오는 것을 봐야 정확한 진단을 할 수 있겠습니다. 밖에는 소리 없이 봄비가 내리고 있었다. 우리는 코너로 돌아오는 권투 선수처럼 그녀를 둘러싸고 나왔다.

겨우 두 발을 들고 다니는 것으로 만물의 영장이라고 자위하면서 구더기의 탈바꿈도, 도마뱀의 자절도 배우지 못한 우리들, 우리들은 무엇을 아는가. 한 여자의 과오가 만든 부끄러움을 알 뿐이다.

나는 내설악 가까운 지방에서 어린 시절을 보냈었다. 깎아세운 듯한 산 밑으로 강물이 흐르고, 맞은편에 논과 밭이 소복한 초가집을 에워싸고 있는 작은 마을. 거기에도 전쟁의 상처는 있었다. 폭격당한 초등학교나 강변의 웅덩이에 쌓여 있는 포탄에서는 아직 화약 냄새가 풍겼고, 산에 나무를 하러 갔다가 지뢰를 밟고 온몸이 해어져 들려 오는 사람들의 피를 우리는 보았다. 그러나 아이들은 쉽고도 은밀하게 그 폐허들과 친해질 수 있었다. 밤이면 부서진 학교 건물에 숨으며 숨바꼭질을 했고, 포탄을 몰래 숨겨다 놓고 신기한 듯 바라보곤 했었다.

그 때, 형이 학교엘 가 버리면 회앓이를 하는 배를 쓸면서 동무도 없이 한낮을 보내야만 했던 나에게 누나가 하나 있었다. 어머니와 아버지가 일을 하러 나가면 집을 지키느라 학교엘 못 가곤 하던 누나였다. 얼굴이 노랗게 들떠서 양지쪽에 쪼그리고 앉아 있는 내 배를 쓸어내리며 누나는 어느 날 이 모든 자연이 신비로 싸여 있음을 속삭였던 것이다.

봄이어서 포근한 햇살이 우리를 비추고 있었다. 나는 누나의 따스한 손에 배를 내맡긴 채 앞산을 바라보았다. 아지랑이 속으로 진달래가 한창이었다.

"너, 저 산에 봉우리가 몇 개니?"

"하나 둘 셋. 셋이야, 셋."

"그럼, 골짜기는?"

"다섯인가…… 아냐 둘이지? 그지?"

"그래, 둘이야. 그 중에 오른쪽 거가 양짓골이고 왼쪽 거가 음짓골이야."

나는 무슨 얘긴지 알 수가 없었다.

"양짓골은 우리 동네 이름인데……."

"그래, 바로 저 골이 우리 동네 골짜기란 말야. 윗것은 음짓말 거고."

나는 누나의 얼굴을 쳐다보았다. 누나는 속삭이듯 말했다.

"저 골짜기에서 여우가 울면 남자가 죽고, 돌이 구르면 여자가 죽는데."

"정말?"

나는 다급하게 물었다.

"그래. 전에 지뢰 밟고 죽은 사람 봤지? 그 사람이 죽던 날 밤에 음짓골에서 여우가 밤새껏 울었대. 그 사람이 음짓말에 산대."

나는 앞산을 바라보았다. 이미 그것은 진달래가 아름답게 물든 산은 아니었다. 골짜기마다 돌이 구르고 여우가 울며 달려올 것만 같았다.

그 날 학교에서 돌아오는 형을 붙들고 앞산을 바라보라고 했다. 저건 음짓골이고, 저건 양짓골이래. 돌이 구르면 여자가 죽는대.

"너 또 거시가 목구멍으로 올라온 모양이구나. 빙신새끼."

형은 방으로 들어가면서 밥 줘, 하고 소리쳤다. 목구멍으로까지 회충이 올라와서 그 때마다 까무러치곤 하던 나를 두고 한 말이었다.

형이 방으로 들어가자 나는 심한 부끄러움으로 눈물이 나왔다. 그것은 목으로 회충이 올라왔느냐는 모욕 때문만은 결코 아니었다.

다방 음악이 영화 주제가를 노래하고 있다. 오랜 친구여, 어둠이여, 내 그대를 보러 다시 왔지. 사람들은 말없이 이야기하고 소리 없이 들었지. 내 말은 침묵 속으로 빗방울처럼 떨어지네……

노래를 들으며 우리는 차를 마셨다. 형수는 왼손으로, 나는 오른손으로. 거기에 그녀의 결벽성이 있었다. 많은 사람이 오른손으로 찻잔을 들기 때문에 다방 찻잔에는 그 쪽으로만 묻어 있는 사람들의 입술 자국을 보는 듯해서 왼손으로 찻잔을 잡는다는 그녀다. 이러한 여자가 어떻게 형과 결혼을 했을까. 형에게도 내가 알지 못하는 어떤 결벽함이 있는 것일까.

누나와 함께 강에 나간 적이 있었지. 잔잔한 강물 위로 산이 거꾸로 비쳐 있었다. 우리는 바위 위로 올라갔다. 누나는 말했다. 나 목욕하는 동안, 넌 여기 있어. 그리고 누나는 나를 바위 위에 뉘었다. 너 일어나면 안 된다. 왜? 나 지금 옷 벗는단 말야. 누나의 목소리가 바위 밑에서 들렸다. 나는 하늘에 떠 가는 구름을 바라보았다. 누나가 옷으로 앞을 가린 채 내 옆에 몸을 굽혔다. 너 여기 가만히 누워 있어 옷이 날아갈까

봐 내 옷을 네 옷깃에 핀침으로 꽂아 놓고 갈 테니. 나는 돌아서서 내려
가는 누나의 앙상한 어깨와 팔죽지를 보았다. 앞산에서 솔잎을 스치는
바람 소리가 쏴아 하고 들렸다. 나는 눈을 감았다. 돌이 구르면 여자가
죽고 여우가 울면 남자가 죽겠지. 양짓말에서…… 음짓말에서…… 나는
슬며시 일어났다. 강물에 비친 산 속에 누나의 나신이 박혀 있었다. 나
는 말했다. 누나, 나 간다. 그 때 누나는 고개를 돌리는가 하자 엄마, 하
고 소리치며 강물에 몸을 잠갔다. 그리곤 애애애, 옷 가져와, 하고 외마
디 소리를 질렀다.

　나는 믿었었다. 열네 살의 누나가 벗은 몸으로 옷을 가져가기 위해서
뛰어올 것이라고.

　그러나 누나는 달려오지 않았다. 반짝거리는 모랫길을 따갑게 밟으며
나는 집으로 돌아왔다. 누나의 옷이 허리에서 펄럭일 때 나는 더욱 무
서웠다.

　누나가 돌아온 것은 저녁 무렵 형이 옷을 내다 준 후였다. 열에 들떠
앓아누운 누나에게 나의 모든 것을 이야기하기에는 나는 너무 어렸다.
전후의 식량난 속에서 누나는 그렇게 누웠다가 끝내 일어나지 못했다.
눈물을 흘리며 맞은 몇 대의 침이 그녀가 받은 치료의 전부였다. 그 날
혼자 돌아와야 했던 소년은 신비와 오해의 줄을 풀어 누나의 얼굴 같은
연을 날리며 성장해 버렸다. 날아가 버린 연을 생각하듯 '부끄러움'이
라는 것을 생각하면서.

　다방의 음악은 사월을 노래하고 있다. 사월이 가면 가야 할 사람, 오
월이 오면 울어야 할 사람.

　"형수님, 사월이 가면 무엇이 올까요?"

　"글쎄요. 군사혁명이 오겠죠."

　형수는 정치적이다.

"사월이 가면 마지막 토요일인 가정의 날이 오겠죠."

나는 참 가정적이다. 미혼, 성실남, 배우자 구함.

"아버지가 가면?"

형수의 말에,

"어머니가 오겠죠. 아니지, 생명 보험금 탄 돈이 오겠죠."

라고 나는 대답한다.

"그럴까요? 아들이 오는 거겠죠."

형수는 종교적이다. 한 세대는 가고 다시 한 세대는 오되 땅은 영원히 있도다…… 이십오 일, 그 날이 다가와서 우리는 다시 링 위에 올라선 그녀를 보았었지. 수술을 하셔야겠습니다. 그러나 의사로서 책임 없는 말같이 들리시겠지만, 자신을 가질 수는 없습니다. 최선을 다해 보겠습니다. 오늘이라도 입원을 하시죠. 하얀 가운이 일어섰다. 아녜요, 내일 하겠어요. 아니 모레…… 우리는 KO당한 선수를 탈의실로 데려가듯 그녀를 둘러싸고 나왔다. 갑자기 햇살이 한없는 무게를 가지고 우리들의 어깨 위에 내려앉았다.

나는 다방 카운터 위에 있는 달력을 본다. 거기엔 30이라고 까맣게 써 있다. 사월이 가면 윤사월이 올 수도 있겠지. 한 세대가 가면 한 세대가…… 누나가 죽은 그 시골에 나는 몇해 전에 다시 내려가 볼 수가 있었다. 할아버지의 장례식에 참석하기 위해서였다.

장지로 가는 영구차 위에서 나는 우연히 관 바로 옆에 앉게 되었다. 차가 움직이면서 나는 이상한 냄새를 맡기 시작했다. 그것은 오래된 간장 냄새와 생선 썩는 냄새가 혼합된 것 같은 악취였다. 장의사가 없는 시골이라 우리가 탄 차는 드럭을 세낸 것이었으므로 처음엔 생선 냄새거니 했다. 털거덕거리는 길을 한 시간 가량 달려야 했는데 냄새는 점점 심해졌다. 코를 막고도 어쩐다는 도리가 없어서 바람 부는 쪽으로 얼굴을 내밀고 숨을 들이쉰 다음 다시 코를 잡곤 하였다. 그런데 옆에 앉아 있던 왕고모 할머니인가 하는 분이 내 어깨를 치셨다. 아이구 얘야, 큰일났구나. 나는 그 분이 가리키는 곳을 바라보았다. 관 한쪽 귀퉁이가 보랏빛으로 젖어 있었다. 나는 그제야 이 냄새가 무슨 냄새인지 알 수가 있었다. 여름철이라 이런 일이 나면 큰일이라고들 하시며 부랴부랴 삼일장을 치렀던 것인데, 이미 시체가 썩고 있었다. 나는 그 때부터 장지에 닿을 때까지 노란 물이 올라오도록 계속 토해야 했다. 차에서 영구를 내려 묘혈로 향할 땐 썩은 물은 흐를 정도가 되었다. 산제를 지내자 매장이 시작되었다. 관 뚜껑을 열자 모두들 고개를 돌렸다. 시커멓게 썩은 머리 부분에서 흘러나온 불그죽죽한 물은 관 한쪽 귀퉁이에 흥건히 괴어 있었다. 누구 하나 시체를 관에서 끌어내려는 사람이 없었다. 바람이 불어서 냄새가 자기에게 날아오면 사람들은 코를 쥐고 자리를 옮길 뿐이었다. 결국 아버지가 팔을 걷으며 시체를 관에서 들어내려 했다. 그러자 누군가가 상주는 그러는 게 아니네, 하면서 앞으로 나섰다. 그가 머리 부분을 들자 다른 사람들이 다리며 허리를 들었다. 검붉은 물이 그의 손가락 사이로 흘러내리고 흰 두루마기 자락에 떨어져 검은 자국을 남겼다.

화톳불을 피우고 관을 뜯어서 그 위에 얹었다. 피익피익 하며 관에 불이 붙었다. 그러나 썩은 물에 젖은 곳은 타질 않고 연기만 심하게 피어올랐다.

나는 허청대며 산을 내려왔다. 인간의 마지막이 이것인가 하는 허망함이 그냥 가슴에 덮쳐 와서 나는 더 그 자리를 지켜 설 수가 없었다. 그 모습은 시간을 전지해 버린 애정의 얼굴이 아니었을까.

언젠가 내가 좋아하는 영시 교수님은 이런 말을 한 적이 있었다. 교수님은 첫아기를 안고 집으로 돌아온 날 밤에 산모가 잠이 들자 서재로 나와 아이를 키울 생각을 하면서 잠을 못 이루었다고 한다. 그런데 며칠 전 다섯 살이 된 이 아이가 아빠, 왜 우리 집은 마당이 기찻길 같애? 하더라는 것이었다. 정원이 없이 다닥다닥 붙여 지어 놓은 저 많은 서울의 집들 가운데 하나인 교수님 댁의 마당도 폭이 한 발 정도 되는 긴 직사각형 꼴이었다. 그것마저도 시멘트로 발라 버려서 이 아이는 줄넘기를 하는 것이 마당에서 할 수 있는 전부였다고 한다. 교수님은 조금 쓸쓸한 얼굴로 아이에게 흙을 만지며 놀 수 있게 해 주어야 하겠다는 것이 이제는 어떤 신앙처럼 돼 버렸다고 말씀하셨다. 교수님의 이러한 애정에는 시간이라는 것이 있다. 그러나 구역질을 하며 산을 내려와야 했던 나에게는 아무것도 없었다. 아, 할아버지와 나에게도 방학 때면 서로 어울려 둘이 다 가운데를 덜렁거리며 낚시를 하고 맹자 진심장구를 놓고 밤 가는 줄 모르던 애정은 있었던 것이다. 시간이 날개를 파득이며 내려와 앉는 그런 애정이.

"늦어지나 보죠?"

내 말에 형수는 시계를 들여다보았다. 레지가 찻잔을 날라 갔다. 주머니에서 담배를 꺼내는데 종이가 집혔다. 학교를 나올 때 받아 넣은 어느 극단의 공연 안내 팸플릿이었다. 아래의 할인권을 가지신 분에게는 일백 원을 할인해 드립니다. 요금은 삼백 원이었다. 예술을 할인해 드립니다. 사월을 할인해 드립니다. 나는 그것을 주머니에 넣었다.

"뭐예요?"

"삼 할 할인한 셰익스피어."

형수는 웃었다. 형수는 웃고 싶은가 보다.

"삼 할 할인한 연극은 어떨까요?"

연극의 삼대 요소는 희곡·배우·관객이라 했었지. 거기서 삼 할 할인하면,

"아마 손님이 없겠죠."

"삼 할 할인한 인생은 어떨까요?"

"생·노·병·사라니까 그 가운데서 하나가 없겠죠."

나는 면접 시험을 치는 학생같이 대답한다. 틀림없이 합격이겠지.

"그럴까요? 태어나야 인생이 있는 거니까, 늙고 병들고 죽는 것 가운데서 하나가 할인되지 않을까요?"

나는 불합격이다. 죽음은 인생의 삼 할 정도일까. 나는 형수에게서 죽음을 할인해 주고 싶다.

그 때 열대여섯 정도의 여자애가 다가와서 들고 있던 나무 상자를 열어 보이며 말했다.

"하나 사세요."

목각 인형들이 차곡차곡 들어 있었다. 한복을 입은 노인, 가야금을 뜯는 여자 같은 것이 보였다.

"안 사."

여자애가 뚜껑을 닫으며 돌아서는데 갑자기 형수는 그 아이를 불러세웠다. 그 모습은 '이 순간이여, 영원하라'고 감격하는 파우스트 박사를 떠오르게 했다. 목각이여, 영원하라.

"애, 그거 하나 보자. 아니, 응 그거 말야."

형수가 지금 무엇에건 관심을 가져 주었다는 것이 고맙다. 돈을 치르자 아이는 돌아갔다. 형수는 손아귀에 쥐면 머리 부분이 주먹 밖으로 나오는 작은 천하대장군을 탁자 위에 놓았다.

"장승에 관한 얘기 아세요?"

형수는 말했다. 나는 그녀가 민속학에 관한 자료를 수집하러 다니던 대학원 시절에 남해안 지방에서 걸린 피부병이 지금까지도 완치되지 않았다는 것을 알고 있다. 그녀의 권위를 인정해야 할 순간이 다가온 것

이다.

　"'어서 오십시오. 여기는 쓸개골입니다' 하는 환영 아치는 아닌가
요?"

　언제였던가. 형수는 무가(무당의 노래)를 수집하러 다니던 중 가장 우
스꽝스러웠던 마을 이름이 '쓸개골'이라고 이야기한 적이 있었다. 하필
이면 쓸개골이람, 쓸개 빠진 사람만 살았나 하고 생각하면 우습다. 언어
의 분위기가 만드는 웃음이다.

　요즈음 젊은이에게도 청운의 꿈이라는 게 있는지 모르겠다. 그러나
가끔 사법 고시를 준비하는, 입술이 갈라터진 법대생들을 볼 때면, 그들
에게는 어쩌면 청운의 꿈이라는 것이 있을 듯했다.

　'주여, 저희는 값 없나이다. 주여, 저희는 값 없나이다.'라거나 '나는
차라리 고요한 바다 밑바닥을 어기적거리는 한쌍의 엉성한 게 다리나
되었을 것을.' 하고 엘리어트를 중얼거리기나 하는 나는, 그런 꿈이라는
것을 생각만 해도 꿈 같아지곤 하지만, '합격의 알프스를 넘어라, 그러
면 거기 모든 것이 있다.'는 식으로 시간을 세어 가는 법대생들에게는
어쩌면 청운의 꿈이라는 것이 무령왕릉 정도로나마 고이 간직돼 있으리
라 믿고 싶었다.

　학기말 시험 때였다. 나는 도서관에서 빈자리를 찾아, 사법 고시를 준
비하는 법대생들의 전용인, 칸막이를 한 열람실에 들어간 적이 있었다.
조명이 잘 안 된 침침한 칸막이 열람석에 앉자, 나는 꼭 통 속에 갇힌
기분이었다. 아, 애들은 이렇게 스스로 통 속에 갇히면서 훗날 사람들을
감옥에 처넣을 공부를 하는구나. 책상 벽에는 낙서들이 드문드문 있었
다. 그 중엔 '낡은 정치의 시녀가 되겠느냐?'고 씌어 있었다. 나는 또
그 청운의 꿈이라는 것을 보는 듯했다. 그 때 나는 구석에 씌어진 작은
글씨를 보았다. '아, 밥 먹기가 싫어졌다.' 부끄러운 듯이 숨어 있는 이

볼펜 글씨를 본 순간 어찌나 웃음이 나왔던지, 시험 공부고 뭐고 정신이 없어서 책가방을 들고 겨우 열람실을 빠져나왔다. '청운의 꿈'이라는 말과 '밥 먹기가 싫어졌다.'는 말이 악수를 하고는 자 시작, 하는 구령과 함께 열심히 내 겨드랑이를 간질이는 것이었다.

쓸개골이라는 말에 형수는 웃으며,

"이 천하대장군이나 지하여장군이 원래는 마을 어귀에서 길목을 지키며 악귀를 쫓는 것이었죠. 그런데 후에 성 샤머니즘으로 변태됐어요. 그 과정에 재미있는 것이 많아요."

형수는 자기가 잘 아는 이런 얘기를 들려 줌으로써, 늦어지고 있는 사람을 기다리는 지루한 시간에서 초점을 조금 당겨 놓으려는 것일까. 나는 북을 울렸다.

"어떤 것인데요?"

"장승에 대한 설화는 여러 가지가 있는데, 대개가 근친상간을 소재로 하고 있지요."

형수는 이야기를 시작했다.

깊은 산에 살던 홀아비 아버지는 나이 든 딸을 불러 정욕을 호소했다. 딸은 아버지와 딸이라는 인륜에서 그럴 수는 없다고 고개를 저었지만, 아버지의 그 애절함에 괴로워하였다. 만약 아버지가 개 같은 짐승이라면, 인륜 때문에 괴로워하진 않아도 되리라. 딸은 아버지가 마루 밑에 들어가 개 시늉을 하며 세 번 짖으면 아버지의 뜻을 받아들이겠다고 하였다. 아버지는 딸의 제의를 따르기로 했다. 그리고 마루 밑에 들어가 개 시늉을 하며 세 번 짖었다. 그 동안에 딸은 뒤뜰에 목을 매어 죽었다.

"이 아버지를 후세에 길이 저주하고자 길가에 장승을 세워 놓고 지나가는 사람마다 침을 뱉는다는 거예요. 어떤 마을에서는 장승에 개털을 붙여 두는 곳도 있어요.”

“개의 울음이 인륜을 부정하는 상징적인 의미를 가지는군요.”

“그래요. 그래서 이 장승들이 일제 초기까지만 해도 성 범죄에 대한 형구가 되었지요. 죄인을 장승에 붙들어매고 마을 사람들이 매를 때렸으니까요.”

나는 탁자 위의 천하대장군을 내려다보았다. 오, 그대 너무나 인간적인 아버지여.

“그것이 다시 성 범죄의 악덕을 저주하는 내용으로 변용되었군요?”

“그래요. 근친간이 부덕이 되지 않던 시대에서 죄악이 되는 시대로 접어들 때 생겨난 샤머니즘이죠. 거기에는 인간 본연의 실존과 모럴(도덕)이라는 허구가 대결하는 한국적인 성 관념이 있는 것 같아요.”

더욱이 성 범죄의 형구가 되고 있는 장승이고 보면, 그것이 한국의 에로티시즘의 도표로서 어떤 뜻을 가지는 것이었다. 우리들은 다방의 소음을 잊고, 우리가 기다리는 시간을 잊고, 그리고 선택도 없이 다가와 있는 하나의 사실까지도 잊고, 잠잠히 가라앉아 가고 있었다. 나는 말했다.

“제도나 모럴이 주는 허구의 시대에서, 다시 원시적인 것으로 되돌아가리라는 생각은 안 가지세요?”

“본질을 허구로 금지해 온 것이 결국은 문명의 작업이었으니까…… 이미 문명에 대한 회의가 점차 일고 있으니까 그런 생각을 할 수는 있겠지요.”

형수는 잠시 탁자 위에 놓인 목각에 눈을 모았다. 그리곤 내 얼굴을 깊이 건너다보면서 말했다.

“인간은 약해요. 문명이란 것도 실은 인간의 능력이 가지는 어떤 한계들을 넘어서려는 노력이 아니겠어요? 그런데 그것을 다시 깨뜨릴 정도로 우리들이 강하냐 하는 데는 의문이 가요. 설화나 무가를 수집하러 다니다 보면, 인간의 연약하기만 한 숨결 같은 것을 대하고 막막해질 때가 있어요."

형수는 이마를 짚으며 고개를 숙였다. 그녀에게서 강한 생명 의식을 때때로 느껴 온 것도 결국은 민속 설화를 수집하러 다니면서 얻어진 그녀의 일부였던가. 약하다고 생각하기에 그것을 딛고 일어서려는 원시적인 의지였던가. 형수는 지금 약하다고 이야기했다. 그렇다. 저 어둠 속에서 생활의 가지를 꺾으며 뿌리를 흔드는 보이지 않는 손을 나는 느끼지 않았던가. 연약한 본능을 웃는 소리를.

겨울이었다.

집에서는 파티를 열기로 되어 있었다. 무신론자만 들어찬 우리 집에서 어떻게 해서 크리스마스 파티가 열리게 되었을까. 그것은 아폴로 십일 호가 달 착륙을 하는 날이 공휴일이 되는 이 동방예의지국 탓이거나, 비틀거리는 서울 탓이거나, 파티 추진 위원장의 중임을 맡은 누이동생의 공로이리라. 어쨌든 우리는 파티를 준비했고, 엄선을 다한 열두 명의 초대객으로부터 초청 수락의 전화까지 받아 놓았다. 이십사 일 저녁이 서서히 다가왔다. 대통령 후보 지명전에서 승리한 정치가처럼 두 손을 흔들며, 신나게 놀아 주겠다는 결의를 번득이며 초대객들은 빠짐없이 대문을 넘어섰다. 파티는 막이 올랐다. 우리는 제일부를 시작했다. 일부는 저녁 식사였다. 한국 사람, 아니 이럴 때는 조선 사람이라고 해야 실감이 난다. 우리들 조선 사람에게 있어서야 식사를 빼면 잔치가 되지 않으니까, 우리는 동서양 요리가 융화를 이룬 국적 불명의 식탁에서 얼심히 시썰이고 웃고 먹었다. 식사가 무르익어 갈 때, 전화 벨이 울렸다. 수화기를 든 동생이 오빠 전화, 여자야, 했다. 나는 전화를 바꿨다. 전 상희 친구 됩니다. 여기 병원인데요, 빨리 좀 오셨으면 합니다.

무슨 일인데요? 오시면 아실 거예요. 전 지금 바쁩니다. 바쁘시다구요? 네, 내일 가 보겠습니다. 뭐 이런 남자가 다 있어. 여자가 언성을 높이는가 하자 전화가 탁 끊겼다. 나는 자리로 돌아왔다. 그 때 다시 벨이 울렸다. 내가 받았다. 죄송합니다, 그렇지만 지금 빨리 와 주세요. 지금 상희가…… 말끝이 흐려졌다. 뭐 이런 계집애가 다 있어, 라고 말하려던 나였는데 곧 가겠습니다 하곤 수화기를 내려놓았다.

상희. 일 년째 병원에 있는 아이였다. 초급대학을 졸업하고 회사를 나가던, 팝송을 기막히게 잘 부르던 아이였다. 수원에 집을 둔 그녀와 내가 만난 것은 처음부터 우연이었다. 사내놈들 다섯이서 수원에 딸기를 먹으러 간 적이 있었다. 돌아오는 버스에서 둘씩 앉고 남은 내 옆에 앉음으로써 알게 된 여자. 삼십 년대식의 만남이었다. 둘은 그럭저럭 이야기를 시작했다. 톰 존스를 싫어한다는 데 동의했고, 헨리 맨시니를 좋아한다는 데 합의했다. 저녁놀이 물든 창밖으로는 새로 마련된 주택 단지에서 집짓는 일이 한창이었다. 상희가 말했다. 서양의 건축은 밑에서부터 벽돌을 쌓아올려 마지막에 지붕을 만드는데, 우리의 초가집들은 지붕을 만들고 벽을 바르거든요. 전 집에 오르내릴 때면 저것들을 보면서 어떤 생활의 도식을 생각하곤 해요. 하늘을 생각하고 사는 것과 땅을 생각하고 사는…….

여자가 생각이라는 것을 하다니. 서울바닥을 기어다니는 여자들—— 옷을 입고 눈썹을 붙이기 위해서 사는 것만 같은 그들과 다를 게 없는 상희가 생활의 도식이라는 기묘한 말을 했을 때 나는 즐거웠다. 그 즐거움은 서울에서 내릴 때는 딸기가 남겨 준 신선한 용기의 후원을 받으며 나에게 상희의 손을 잡게 만들었다. 그러나 나는 상희의 비교론에 다시는 속지 않았다. 다만 동석했었다는 고마운 섭리 속에서 우리는 그렇게 만나고 쓰러졌고, 서로에게 준 상처를 보면서 이것이 사랑인지도 모른다는 생각을 했었다.

택시를 내려 병원으로, 병실로 나는 들어서고 있었다.

문을 열고 들어선 나는 상희가 나를 보고 있는 것으로 알았다. 그 큰 눈을 뜨고 양팔에 주사를 맞고 있는 그녀에게 다가갔다. 왜 그래, 상희. 그러나 모든 것이 다 잘못이었다. 전화를 받은 것도, 달려온 것도, 상희의 눈뜬 모습을 본 것도 다 잘못이었다. 마지막 우연이 오고 있었다. 상희는 눈을 뜬 것이 아니었다. 동공이 움직이질 않았다.

죽는구나, 하는 아찔함이 머리를 때렸다. 나는 그녀 앞에 앉았다. 순간순간 상희의 검은 눈동자는 조금씩 움직여 눈꺼풀 속으로 잠겨 들어갔다. 그녀를 바라보면서 검은자위의 눈꺼풀에 잠겨 가는 것과 같은 속도로 나는 자리를 옮겨 앉았다. 나는 그녀의 손을 잡았다. 초승달만큼 검은자위를 남긴 채, 그녀는 박자 없는 호흡을 시작했다. 턱을 쳐들며 숨을 쉬곤 겨우 내뿜었다. 그 간격이 점점 길어지고 호흡을 계속할수록 상희의 머리는 뒤로 젖혀졌다. 마침내 으…… 하는 소리와 함께 무거운 숨을 들이쉬었다. 그 후의 정적은 그대로 영원이었다. 나는 상희가 호흡을 계속하기를 기다리며 아아 하느님, 하고 입 속으로 중얼거린 것 같다. 그러나 그녀는 하얗게 눈을 뒤집은 채 움직일 줄 몰랐다.

그 때, 바로 그 때, 상희가 갑자기 그녀의 손을 쥔 내 손을 힘주어 잡았던 것이다. 나는 머리카락이 하나하나 뻗치며 온몸에 소름이 끼쳐, 그녀를 잡았던 손을 벌레라도 뿌리치듯 흔들며 벌떡 일어났다. 그러나 그것은 상희가 내 손을 잡은 것이 아니었다. 우두둑 하고 뼈가 튕겨지는 소리를 내면서 그녀의 팔이 서서히 틀어지기 시작했다. 나도 모르게 고개를 돌렸다.

다시는 상희가 있는 쪽을 바라볼 수가 없었다. 고개를 돌린 채 가족들의 울음이 터지는 병실을 나왔다.

긴 복도를 걸었다. 불빛이 희미하게 어른거리는 나선 층계를 내려갔다. 언젠가 밤에 하산을 하다가 어둠 속에서 안기며, 내게 처음으로 사랑한다는 말을 들려준 여자. 나도 그 때 사랑한다고 말했던가. 병동 정문에 켜진 수은등을 바라보았다. 그것은 끝없이 멀게만 느껴졌다. 나는 문득 파티를 생각했다. 웃음소리. 그것은 환한 불빛 속에서 들려오는 어둠이었다. 나는 밖으로 나왔다. 진실에서 고개를 돌려 가면서 언제까지 살아야 하나. 불빛 속을 헤매다가 나는 때때로 가슴 저 밑바닥에 올려놓고 간 그녀의 웃음소리를 듣는다.

"형수님, 제 첫사랑 얘기할까요?"

나도 시계의 초침에 매달린다. 어느 새 형수는 웃는 얼굴이 되어 있다.

"버스에서 알게 된 여자였죠. 두 번째 만나던 날 영활 보고 나서 차를 마셨죠. 여자가 말없이 앉아 있더니, 누굴 사랑해 봤어요? 하데요. 전연 못해 봤다고 대답했죠. 그랬더니 자기도 연앨 못했대요. 얼마를 그렇게 앉아 있더니 여자가, 우린 안 되겠군요. 첫사랑은 헤어지는 거래요, 하더군요."

"착한 여자네요. 그만큼 순수하기도 어렵지 않아요?"

"순수가 아니라 실수죠, 흐흐흐."

"아니…… 무슨 웃음이 그래요?"

나는 형수의 순수라는 말에서 숨겨진 음모를 보았다. 또 흐흐흐 하고 웃었다.

영시 교수님은 첫아기를 안고 아내와 함께 병원을 나올 때, 담요에 싸인 아기의 무게를 느낄 수 있어서 자기가 빈 담요를 안고 있는 것이 아님을 확인하듯이 몇 번이고 담요 자락을 헤치고 아기를 보았다고 했다. 그렇게 말씀하시며 교수님은 흐흐흐 하고 웃으셨다. 나는 그 웃음 때문에 하하하 웃고 말았지만, 그 때 교수님의 표정에서 아, 이 분은 순수가 무엇인지 알고 계시는구나…… 하는 감동을 느꼈었다.

누나가 죽은 날 밤에 나는 몰래 집을 빠져나왔다. 달이 뜨지 않은 캄캄한 밤이었다. 앞을 분간할 수 없는 길을 더듬거리며 갯가로 나왔다. 모래 위에 앉아서 나는 기다렸다. 차가운 바람이 목덜미로 허리로 기어들어서 몸을 굽혀 양손으로 무릎을 안았다. 바람이 불어올 때마다 모래가 날아와 얼굴을 때리고, 앞산에선 가랑잎이 흔들리는 소리가 서걱거리며 발자국처럼 다가왔다. 추위로 어금니가 딱딱거리고 온몸이 굳어질 때까지 나는 그렇게 앉아 기다리고 있었다.

아버지가 등불을 들고 내려오면서 내 이름을 불렀다. 어둠 속에서 등불은 한여름밤의 반딧불처럼 이리저리 흔들리며 다가왔다. 밤이 깊어 내가 정신을 차렸을 때, 아버지는 이마를 짚어 주며 물었다. 강가엔 왜 나갔었니.

"돌이 구르는 것을 보려구요."

그것은 내가 마지막으로 말한 순수가 아니었을까. 나는 때때로 순수라는 것을 생각하며 흐흐흐 웃어 버린다.

"쓴가 봐요."

"네?"

"담배 말예요."

"아, 네에."

나는 담배를 껐다.

"담배를 두 곽씩 가지고 다니는 친구가 있어요."

그놈은 언제나 두 종류의 담배를 가지고 다닌다. 하나는 최고급으로, 하나는 최하급으로. 둘 다 구하기 쉽지 않은 담배다. 담배 하나를 달라고 하면 그놈은 언제나 최하 담배를 꺼내 준다. 그리곤 자기는 유유히

최고급으로 꺼내 문다. 이놈이 집에 가서 저 혼자 있을 때 둘 중에서 어느 것을 피울지 생각하면 재미있다.

"글쎄요. 혹시 두 가지를 번갈아 피우진 않을까요?"

형수는 말하면서 웃었다. 그리고 고개를 숙였다. 입가에 졌던 주름이 엷게 제자리로 돌아오는 것을 나는 보았다. 왜 이렇게 늦어질까. 아침에 형은 분명히 약속하지 않았던가. 병원 건너 다방에서 기다리라고.

형수는 고개를 들고 목각을 집어 나에게로 내밀었다.

"자, 선물."

"……."

"받아 두세요."

나는 그것을 받았다. 형수는 조금 흐린 눈으로 나를 바라보면서 말했다.

"고마와요. 절 즐겁게 해 주려고 애쓰신 거 잘 알아요."

나는 어금니를 힘주어 물었다.

"전 아마 죽겠죠. 그러나 살고 싶어요. 현대 의학이라는 힘이 나를 다시 살게 해 주기를 간절히…… 간절히 바라고 있어요. 과학 문명이라는 것에 이렇게 모든 것을 걸기는 처음이에요."

아, 그래. 우리는 좀전에 문명을 거슬러 올라감으로써 인간의 어떤 본질을 회복할 수 있으리라는 생각을 하지 않았던가. 그러나, 그러나.

"생각했어요. 죽음은 무엇일까…… 그리고 생명이 주어진다면 더 열심히 살겠다는 아픔을 가지고 기다리는 것이라는 생각…… 그리고 아주 삭막한 하나의 사실이라는 생각도 했어요. 살아서 나오지 못할 병원으로 가면서 손톱·발톱까지 깨끗이 깎고 내의를 갈아입도록 인간을 약하게 만드는 것, 그것이 결국 죽음인가 봐요."

이제 그녀는 다 말했다. 지금부터의 시간을 어떻게 지내야 하나. 위로

를 해야 할 순서가 온 것인가.

"지금 이렇게 앉아 있으면서 제 한쪽이 무너지는 소리를 듣고 있어요. 만약 형님이 오지 않는다면 입원을 내일로 미룰 수도 있을 거라는…… 기다리고 있으면서도 한편으론 오지 말았으면 하는 생각이 들어요. 형님이 끝내 오지 않는다면 저는 그것만으로도 저 병원엘 들어가지 않아도 될 테니까요."

그 날 입원을 안하고 집으로 돌아가서 까맣게 먹물이 스며드는 집 안에서 오히려 웃음을 만들며 며칠을 지낸 그녀. 형이 없이 입원을 해도 될 것을, 이렇게 기다리는 것도 시간을 조금이라도 늦추어 보겠다는 생각에서였던가.

"우리 여길 나갑시다."

그리고 나는 계속하려 했다. 내일 입원을 합시다, 아니면 형이 오지 못할 곳으로 갑시다.

그 때, 그녀가 일어섰다.

"네, 나가요. 저 혼자 입원을 하겠어요."

형수는 가만히 웃었다. 훗날 누가 천사의 미소를 보았느냐고 묻는다면, 나는 보았다고 대답하리라.

우리들은 다방을 나왔다. 사월 마지막 날의 바람이 우리를 감싸고, 새로 피어난 나뭇잎을 흔들며 지나갔다. 나는 천하대장군을 들고 서서, 대학병원이 유리창마다 햇빛을 받고 반짝거리는 것을 바라보았다.

우리는 횡단보도를 건너갔다.

미지의 새

그녀는 메모지를 잘게 찢어 휴지통에 넣으며 일어섰다. 거기에는 오전에 그에게 보낸 전보 문구가 적혀 있었다. 내일 새벽차로 그 곳엘 간다는 내용이었다. 그 곳은 남쪽이었고 바다와 해수욕장과 그리고 그가 있는 곳이었다.

토요일 저녁, 그가 올라왔다가 일요일 밤차로 내려갈 때까지 서로의 시간에 서로의 지문을 묻히며 보낸 그들. 그가 올라오기를 기다리며 놓여 있는 토요일의 이 가지런한 시간을 헤집고 자기를 내려가지 않을 수 없도록 한 아픔을 누르며 그녀는 빈 사무실에서 나왔다. '그 곳'만은 밝고 따스한 곳이기를 바라면서.

엘리베이터를 기다리며 창밖을 바라보았다. 칙칙하게 변색되어 가는 남대문의 단청이 내려다보였다. 비서실, 그녀의 책상에서는 고개를 조금만 돌려도 눈에 들어오곤 하던 남대문이었다. 먼지를 뒤집어쓴 그 모습에서 그녀는 문득 시골에 있던 할머니를 떠올렸다. 보지도 듣지도 못하던 아흔이 넘은 할머니. 무릎과 어깨가 붙어 버린 채 '골방'에서 '먹고' 누고 기어다니던 할머니였다. 그런 할머니가 저녁상에서 식구들 몰래 생선토막 같은 것을 버선목에 감추었다가 밤이면 어둠 속에서 혼자 꺼내어 씹곤 하던 가련함. 젊은 시절에는 남달리 깨끗했었다는 할머니가 보여 주던 궁상맞은 가련함을 생각하며 그녀는 고개를 돌렸다. 먼지

낀 단청의 때 잃은 아름다움. 젊음에는 어디서부터 녹이 스는 걸까.

엘리베이터를 나온 그녀 앞에 지하 다방으로 내려가는 계단이 마주 서 있었다. 이제 집에 가서 목욕을 하고 일찍 잠을 자야지, 새벽찰 타려면 세 시엔 잠이 깨야 할 텐데, 하면서도 그녀는 계단을 내려가고 있었다.

다방 안은 어두웠다. 열대어를 기르는 수조가 화안하게 눈에 들어왔다. 그 옆에 앉았다. 열대어들이 흐늘거리는 투명한 수조를 통해서 건너편에 앉은 남자의 얼굴이 비쳐 보였다. 수초에 싸인 그의 얼굴 위에 뼈가 내비칠 듯 하얀 고기 한 마리가 미동도 없이 떠 있었다. 밖에서는 오래 아낌을 받으며 있어야 할 것들이 먼지를 뒤집어쓰고 나날이 퇴색해 가듯, 자기의 앞에서도 빛을 바래 가는 것들이 있다는 아픔 속에서 그녀는 고기들을 가만히 바라보았다. 이 아픔, 그의 곁엘 가면 이런 아픔들은 쉬 삭아 버리겠지.

일요일 저녁 버스 터미널에서 헤어지며, 나 담주엔 자길 못 만날 거야, 그러니깐…… 했을 때, 그러니까 올라와도 헛일이라 그런 얘기야? 그는 웃으며 떠났다. 그 웃음 뒤에, 혼자 남아서 그녀가 맞은 참혹한 주말, 좁고 긴 복도를 끝없이 달려가고 있는 사람처럼 그녀는 수술대 위에 누웠다.

지난 토요일이었다. 간호원이 말했다. 자, 따라 하세요, 하나, 하아나, 둘, 두울, 셋, 세엣, 그리곤 넷을 세지 못하고 의식을 잃었다. 그에게는 아무것도 알리지 않은 채 혼자 치른 일이었다. 어둠 속에서 어둠 속으로 묻어 버린 3개월의 아이. 산과 병원의 문을 나서니 바람이 몹시 불고 있었다. 구겨진 옷자락을 매만지며 거리로 나왔다. 그리고 천 근의 무게가 얹힌 손을 들어 택시를 잡았었다.

역광을 받아 건너편 남자의 이마가 그늘져 있었다. 그 위로 줄을 이은 기포들이 수조 바닥에서 떠 올라갔다. 언젠가는 그에게 이야길 해야 하리라. 언제쯤? 그녀는 스스로에게 물었다. 그렇다면 한 주일 내내 자기를 떠나지 않던 초조함도, 그리고 자기가 내려가기로 한 것도 바로 그 '언제쯤'의 탓이었던가.

그녀는 날라 온 차를 한 모금 마시고 다방을 나왔다. 새벽차가 아닌 밤차를 타기로 마음먹으며.

갑자기 비명처럼 기적 소리가 울렸다. 이어 길게 또 한 번. 블라인드를 올리고 밖을 내다보았다. 열차가 플랫폼으로 들어서고 있었다. 열한 시 사십 분에 서울을 떠난 급행이 처음 서는 역이었다. 육중한 쇠기둥이 떠받들고 있는 천장 높이 역 이름이 하얗게 바라보였다. 차를 내린 사람들이 출찰구를 향해서 걸어 나아갔다. 몇 사람이 올라와 자리를 잡으면서 열차는 움직이기 시작했다. 역을 빠져나오자 갑자기 도시의 야경이 창으로 들어왔다. 곧게 뻗어나간 가로등 불빛이 파랗게 떠오르고 멀어지는 거리의 불빛이 아롱거렸다. 한겨울의 얼어붙은 도시에 환하게 켜져 있는 불빛이 습기 낀 창을 통해서 반짝반짝 흔들리면서 창문은 별빛이 가득한 밤하늘이 되었다. 그 불빛이 멀어지며 어둠이 배어오르는 창밖에 눈을 준 채, 그녀는 지난 여름을 생각했다. 그의 품에 안겨서 바라보던 하늘, 별이 와스스 떨어져서 가슴으로 쏟아져 들어오던 여름밤을.

그 여름내 지루하게 비가 내렸다. 길고 긴 장마가 개자, 그들은 북한강 상류에 있는 산엘 올랐었다.

샘물이 흐르는 숲 속에서였다. 점심을 짓겠다면서 그가 배낭을 풀었을 때 그녀는 웃고 말았다. 등산용 식기가 아닌 냄비를, 그것도 틈서리에 먼지가 보얀, 상표도 떼지 않은 것들을 그가 꺼내 들었기 때문이었다.

"아니, 여기서 살림 차릴 테야?"

"요강도 하나 사 올걸, 잘못했군."

"버너도 안 가지고 오고…… 냄비는 또 뭐람."

"아냐, 오늘은 그냥 이렇게 밥을 해 먹자구. 내가 나무를 해 올 테니 쌀 씻어 놔."

어느 새 그는 돌을 주워다 냄비가 올라앉을 화덕을 만들고 있었다.

"어렸을 때 생각을 했어. 어머니 몰래 강가로 나가곤 했지."

그가 뒤를 돌아보며 말했다.

고향에서 초등학교를 다닐 때였다. 윤이 나게 닦아서 선반에 얹어 놓은 냄비에 쌀을 퍼넣고 강가로 나가곤 했다. 동무들과 물놀이를 하는 것이었다. 헤엄을 치고 놀다가 고기를 잡기 시작한다. 잡아들인 고기의 배를 째는 동안 다른 애들은 땔나무를 주워 온다. 장마가 걷히고 난 갯가엔 떠내려온 나뭇가지나 솔검불이 많이 있었다. 물미씨개라고 부르던 그것들을 주워다 불을 땔 때면 냄비가 새까맣게 그을곤 했다. 밥과 국이 다 되면 남은 불덩이 위에 모래를 얇게 깔고 그것들을 올려놓는다. 다시 한바탕의 물놀이가 이어진다. 배가 고프기 시작한다. 촉촉이 젖은 머리카락을 털며 대여섯 명의 아이들이 모여 앉는다. 국 냄비를 열고 향긋한 비린내가 코로 스밀 때면 어느 능청맞은 놈이 강가로 나오는 길에 슬쩍해 넣은 파를 뚝뚝 잘라 넣기도 한다. 뜨거운 햇볕에 달아오르는 모래 위에서 발가락을 움츠렸다 폈다 하며 숟갈들이 부산하게 움직인다. 물에 들어가 있어서 까맣게 오그라들었던 불알들이 밥을 다 먹고 날 때쯤엔 따가운 모래 위에 닿을 정도로 처억 늘어진다. 그렇게 하루 종일을 강가에서 보내다가 입술이 파랗게 얼어서 집으로 돌아오면, 집에서는 새까맣게 그을린 냄비 때문에 어머니에게 꾸중을 듣는 차례가 언제나 기다리는 것이었다. 그렇지만 반들거리는 냄비에 그을음이 까아맣게 기어오르는 모습은 얼마나 재미있었던가. 한번은 그을린 냄비를 닦을 셈으로 얼마나 모래에 문질렀는지 오히려 냄비를 버려 놓았다고 얻어맞고는 고단한 김에 저녁도 못 먹고 잠이 들기도 했었다.

"그럼, 냄비 그을리기를 또 하잔 말야? 참 구제불능이네."
했지만, 그녀도 어느 새 쌀을 들고 일어서고 있었다.

"어제 시장에 들러 그릇을 샀거든. 집에 가지고 들어가니까 동생놈들이 우루루 나와 그게 뭐냐고 야단들이야. 회사 물건이라고 아예 손도 못 대게 하곤 얼른 내 방에 갖다 감췄지."

그렇게 말하고 있는 그는, 비서실에서 그녀가 보고 들을 수 있었던 같은 회사 직원인 그는 아니었다. 둘만이 만나 있는 시간의 그도 아니었다. 어디서 오는지 알 수 없는 즐거움이 배낭 바닥에서 감자를 꺼내고 있는 그녀를 발가벗기고 싶도록 만들었다.

"태초엔 모든 게 재밌었겠지. 습관이란 게 없었을 테니깐 말야. 난 낙원에서 추방되는 이브의 그림을 보면 이상하더라. 고통을 몰랐던 사람들이 왜 괴로운 표정을 했는지 모르겠어. 좀 겁나긴 했겠지만, 처음 겪는 일인데 어쨌든 즐거웠을 거 아냐?"

점심이 끝난 뒤, 밥을 하고 난 불 속에 묻었던 감자를 챙겨 가지고, 발 밑으로 강물이 내려다보이는 숲 속에 자리를 잡고 앉았다.

댐을 막음으로 해서 생긴 인공 호수에 건너편 산이 푸르게 잠겨 있었다. 호수를 끼고 돌아간 길 위에 성냥갑 같은 차들이 오가는 것을 바라보며 감자 껍질을 벗겼다. 노릇노릇 구워진 감자의 껍질을 벗겨 쪼개면 하얀 가루가 손에 묻어나곤 했다.

저녁이 왔다.

멀리서 은빛의 작은 종이 울리듯 풀벌레가 울었다. 그녀는 무릎을 베고 누운 그의 귓불을 매만지며, 이제는 캄캄하게 어두워진 호수에 산기

숲을 돌아가는 차들의 불빛이 비치는 것을 바라보았다.

그 때, 어디선가 청아하게 뻐꾸기가 울었다. 슬프도록 아름다운 밤의 소리였다. 그녀는 귀를 기울였다. 솔잎을 스치는 바람 소리만 숲 속을 헤매고 있었다. 긴 고요가 휩쌌다. 이어 안개 속으로 멀리멀리 퍼져 가듯, 물기 어린 한스러움을 담은, 부피를 느낄 수 없는 울음소리. 그녀는 엷고 엷은 보랏빛의 휘장이 소리 없이 겹겹이 내려지는 것 같은 착각에 빠졌다. 그의 품에 조그맣게 안겨서 그녀는 고개를 들어 하늘을 쳐다보았다. 무수하게 흩뿌려진 별들 사이로 파릿한 빛이 흘러가고 있었다. 은하수였다. 아득한 곳에서 들려오듯 뻐꾸기가 울었다. 순간, 그녀의 가슴으로 쏴아 하며 은하수가 흘러 들어오는 것 같았다.

가슴에 반짝이는 것들, 그것을 그녀는 사랑이라고 느끼면서 쏟아지기라도 할 듯 조용조용 산을 내려왔다.

이정표만이 하얀 간이역에서 막차를 기다렸다. 차는 비어 있었다. 고단해? 졸려? 하고 그가 물을 때마다 다만 고개를 끄덕이거나 가로저으며, 그의 어깨에 머리를 기대고 그녀는 돌아왔다. 밤뻐꾸기가 울고 있는 가슴에 은하수가 하나 가득 찰랑거리고 있었다. 눈에 보이지 않는 것들을 찾아 헤매리. 그래서 시간이 흐를수록 더욱 빛나는 것만을 사랑하기를 그녀는 약속하고 또 약속하고 있었다.

서울에서 내렸다. 빈 대합실에는 거지 아이들이 머리와 머리를 맞대고 잠이 들어 있었다. 둘 다 새까만 맨발이었다. 역사를 나왔다. 입술이 시퍼런 여자가 다가오며 말했다. 방 있어요. 주무시고 가세요. 사람들이 흩어지는 역 광장을 걸어나왔다. 자갈을 쏟아 놓는 것 같은 거리의 소음이 달려나와 그녀를 휩쌌다. 휴지쪽이 날리는 광장에 서서 그녀는 안타깝게 하늘을 쳐다보았다. 캄캄한 하늘이 거기 있었다. 두어 개 흐릿한 별빛이 보일 뿐이었다.

"뭘 해?"

"은하수가 보이질 않잖아."

그가 고개를 들어 흘낏 하늘을 쳐다보고는,

"몰랐어? 은하수는 가려서 보이지 않아. 대기 오염으로 차단된 거야. 공해가 만들어 낸, 뭐랄까…… 일종이 자연 이변이지."

은하수가 가려진 하늘 높이, 길 건너 호텔 옥상에 세운 네온이 빨갛게 치솟아 있었다. '텔' 자의 획 하나에 불이 들어오지 않아 꺼졌다 켜졌다 할 때마다 호텅 호텅, 하고 깜박이고 있었다.

횡단보도를 건너가기 위해 신호를 기다리며 그녀는 불빛이 어지럽게 돌아가는 거리를 바라보았다. 이 서울에서 무엇이 그녀를 욕되게 하는지를 알 것 같았다. 배고픈 거지처럼 헤매게 하고, 목마르게 하고, 마음이 언제나 때묻은 것처럼 느끼게 하는가를 알 것 같았다. 젊다는 것, 그래서 살아가야 할 내일이 수없이 많다는 것이 처음으로 그녀를 암담하게 했다.

사람들 틈에 밀리면서 길을 건너갔다. 택시를 세우려는 그의 옷자락을 잡았다.

"왜 그래?"

그녀는 안타깝게 앞을 가리는 장막을 찢어내리듯,

"우리…… 저기로 가."

허공에 뜬 '텅' 자를 자리키고 있었다.

손에 묻어날 듯 어둠이 밴 차창에 비친 그녀의 얼굴을, 먼 인가의 불빛이 눈물처럼 가로질러 갔다. 옛 주인을 생각하는 늙은 하녀 같은 얼굴이었다. 블라인드를 내렸다. 옛 주인도, 늙은 하녀도 다 자기라는 생각이 들어서였다. 열차는 캄캄한 어둠 속을 달리고 있었다. 심야에 맞아 죽는 개의 외마디 소리처럼 이따금 기적을 울리며.

차를 내리니 새벽이었다.

플랫폼은 차갑게 얼어붙어 있었다. 몇 명 안 되는 승객들과 출찰구를 나왔을 때, 그녀를 기다린 것은 한밤내 내려간 싸늘한 기온과 낯선 건물뿐이었다. 새벽차로 내려간다고 하고 밤차를 타 버렸으면서도 그녀는 잠시 대합실에서 머뭇거렸다. 어디선가 그가 불쑥 나서며 나야, 할 것만 같아서였다.

택시를 타고 거리를 빠져나왔다. 그와 만나기로 한 바다 가까이에 내렸다. 폐허와 같은 거리를 걸어 문 등이 켜진 여관을 찾아들었다. 베개 커버만 바꿔도 잠을 설치곤 하는 그녀였지만, 무너지듯 자리에 누웠다. 너무 피곤해서 눈알이 쓰렸다.

늦은 아침에 잠이 깨었다. 삭막한 방 안에 햇살이 기웃거리고 있었다. 밖으로 나왔다. 길 양편으로 늘어선 집이 거의가 음식점이었다. 이 곳 명물이라는, 입에 맞지 않는 조개 백반을 썰렁한 식당에서 들고 나자, 그와 만날 시간까지가 휑하니 비어 있었다. 거리를 돌아다녀 보았다.

여름 한철 해수욕을 오는 사람들 때문에 세워진 관광지는 곧 끝이 나고, 나지막한 야산으로 에워싸인 논이 펼쳐졌다. 드문드문 집들이 보였다. 흑갈색 논 사이로 길이 하얗게 다가왔다.

그녀는 바다를 가리고 있는 산엘 올라가 보기로 했다. 산을 향해서 논길을 걸었다. 한강이 얼지 않았다는 겨울답게 따스한 햇살이 어깨에 나풀거리고, 엷은 바람이 머리칼을 매만지며 지난 밤의 피로를 씻어 주었다.

머리가 맑아 왔다.

듬성듬성 나무들 사이로 마른 풀을 밟으며 산으로 올라갔다. 산기슭을 돌아가자, 갑자기 그녀의 앞을 가리듯 바다가 나무 위로 떠 올라왔

다. 한순간에 눈앞이 끝없이 트이는가 하자 다시 그만큼 막아서는 수평선. 달무리가 낀 듯 바다는 보얗게 흐려 보였다. 하늘과 땅을 가늠하며 무정하게 퍼져 나간 수평선을 그녀는 막막히 바라보았다. 흐르지 않는 물. 그녀는 중얼거렸다. 저건 물은 아니지. 알 수 없는 참혹함을 느끼면서 그녀는 산을 내려갔다.

노랗게 마른 잔디밭에 앉아 바라보니, 마을이 한눈에 들어왔다.

올라오면서 꺾어 들었던 마른 풀꽃들을 가지런하게 자르며 있었는데, 어디선가 사람들의 말소리가 들렸다. 흠칫 놀라 고개를 돌렸다. 나무로 가려진 바로 아래에서 두 남자가 사진을 찍고 있었다. 이런 곳에서 사진을 찍는 취미도 모를 일이라며, 그녀는 일어섰다. 그 때 다시 그들의 말소리가 들렸다.

"그러니까, 이것도 풍장의 분류에 들어간다고 봐야겠습니다."

카메라를 든 남자가,

"그렇게 볼 수밖에 없겠죠. 그런데 그 풍장이라는 것이 말입니다. 집을 짓고 기기다 시체를 그냥 놓아 두었딘가 본데, 어떤 곳에서는 나무에 매달기도 했다더군요."

끌리듯 그들에게 다가갔다.

그들이 사진을 찍고 있는 것은 짚더미였다. 짚더미라고밖에 그녀로선 달리 이름할 수가 없었다. 그것은 둥근 타원형으로 이엉을 해 덮고, 양끝에 말뚝을 박아 새끼로 잘 여미어져 있었다.

사진을 찍고 나자, 그들은 줄자를 꺼내어 크기며 높이를 재었다. 줄자를 챙기던 남자가 말했다.

"살이 썩고 뼈만 남을 때까지 조상의 시체를 말리는 게 효도였으니……."

"죽은 사람은 죽은 사람대로 그렇게 마르기가 소원이었다지 않습니까?"

산을 내려가는 그들을 보며, 집히는 생각이 있었다.

초분. 그러면, 이것이 바로 그러한 무덤이란 말인가.

언젠가 학술 조사차 내려온 대학 후배들과 동행했었다면서 그가 초분에 관한 이야기를 들려주었다. 아유 끔찍해, 하며 얼굴을 찡그렸던 그녀였지만, 거기서 느낀 여자의 어쩔 수 없는 숙명을 그녀는 기억하고 있었다.

초분이란, 사람이 죽으면 바로 장례를 거쳐서 땅에 묻는 것이 아니라 집 가까이나 공동묘지에 시체를 풀로 덮고 짚으로 이엉을 해 두는 장례 풍습이었다. 1년이나 3년이 지나 살이 썩은 후, 남은 뼈만을 추려서 관에 넣어 일반적인 장례를 지내는 것이었다.

"말하자면, 장례를 두 번 지내는 거지. 남해의 어떤 섬에서는 뼈에 붙어 있는 살을 대나무칼로 긁어내고 짚솔로 닦은 후에 관 속에 넣기도 한대."

살은 썩어 흙이 되어도 영혼은 뼛속에 남아 있다고 믿기 때문에 생긴 복장제라고 그는 말했다. 그녀로서는 허무하기 이를 데 없는 믿음이 아직까지 관습으로 남아 있는 이유를 알 수가 없었다.

"바닷가이기 때문이야."

"바다가 사람을 두 번 장사지내게 한단 말야?"

"물론, 더 큰 이유들이 있어. 부모가 죽자마자 바로 묻어 버린다는 건 아주 불경스럽다는 거지. 마치 죽기를 기다리거나 한 것처럼 생각되니까."

한편으론 죽은 사람이 다시 살아나지나 않을까 하는 생각에서 집안 가까이 안치해 두기도 했던 그러한 마음의 밑바닥에는 돌아가신 분을 추모하는 효성이 깔려 있다는 것이었다. 죽은 것은 땅에 묻어야 하고,

그래서 묻힌 것은 썩어 흙이 된다는 자연의 순리를 알면서도 차마 묻어
버리지 못하는 유습이었다. 그러나 그러한 일이 돌아가신 분에 대한 애
정 때문이라고 그녀로선 믿어지지 않았다.

"죽은 자의 외로움을 산 자가 위로한다고 해도 좋겠지."

"바닷가라고 해서 별다를 건 없잖아."

"미래보다는 과거를 중요시하고 자식보다는 조상을 위해 살았던 동양
인에게 부모의 시체를 중히 여긴다는 거야 당연한 생각이었겠지. 그
런데 어촌에는 정월에 시체를 묻으면 그 해 고기가 잡히지 않는다거
나 여러 사람이 죽었다는 미신이 많아. 지신이 노한다든가, 어쨌든 섬
의 경울수록 심해서 십이월부터 이듬해 팔월까지 장례를 지내지 못했
던 곳도 있다더군. 그런데 나 이런 생각을 해 본 거야."

어부들이 바다로 나아간다. 고기잡이를 떠난 그들은 수개월씩 집을
비운 채 돌아오지 못할 때도 있다. 그 동안 집에서 누가 죽는다. 집에
남은 아낙네는 장례를 지내지 않고 시체를 내다가 풀로 덮어 둔다. 바
다에서 돌아온 남편은 거기서 마지막으로 죽은 사람의 얼굴이나마 본
후에 손수 장례를 치르게 된다.

"지역적으로 고립돼 있어서 문명의 전파가 늦으니까 그런 풍습이 오
래 지켜질 수는 있었겠지만, 역시 고기잡이라고 하는 그들의 생업의
영향이 아닌가 하는 생각이 들어. 흉어가 든다는 미신도 그렇고……
먹고 산다는 자기 생활이 중요했을 테니까. 정월에 매장을 안한다는
것도 그래. 겨울이니까 시체가 늦게 부패하므로 얼마 동안 그냥 둔다
는 일이 가능한 거야. 의식으로 생활을 미화시켰다고나 할까."

풀로 시체를 덮어 놓고 남편을 기다리며 바다를 내다보던 아낙네의
등에 어린아이가 흥얼거리며 업혀 있었으리라.

그의 말을 들으며 고개를 끄덕였던 자기였다. 그러나 이제 생각할 때,

어둑어둑해지는 뜨락에 나와 바다를 바라보고 서 있는 여자에게 있어, 부모의 육신을 비바람에 썩히고 말리는 일이 생활에 아름다움을 주는 행위라고 생각되지 않았다.

산을 내려오며 그녀는 스스로에게 물었다. 조상의 삶이 그의 것만으로 끝날 수 없다는 내세관이 얼마나 많은 자기의 삶을 자기만의 것으로 살지 못하게 했을까. 한 사람은 죽었지만 남은 사람은 살아 있다는 눈에 보이는 사실을 그 자체만으로 바라볼 때, 삶은 더 삶다워지는 것이 아닐까.

죽은 살과 뼈에도 얽혀야 하는 인간의 마음, 마음, 마음…… 논길을 타박타박 걸어서 그녀는 돌아가고 있었다.

제 시간에 제 장소로 그녀가 사랑하는 남자는 올 것이다. 그러자 자기는 아무것도 이야기할 수 없는 여자였다. 누가 있어 지금의 자기에게, 너는 생활에 아름다움을 주고 있는 거라고 말하겠는가.

시계를 보았다. 열두 시가 지나 있었다.

해수욕장 앞, 유원지 입구에서 청기와를 얹은 커다란 문이 그들을 맞았다. 매표구에 가서 입장권을 사 가지고 돌아서는 그의 팔을 끼면서,

"자기, 아침에 면도했구나."

그녀는 파릿한 그의 턱을 쳐다보았다. 그가 웃음을 띠며,

"미안해."

했다. 그것은 그의 버릇이었다. 지루하기만 한 연극을 보고 나올 때나, 횡단보도를 건너려다 빨간 불이 켜졌을 때도 그는 미안해, 하며 웃었다.

"계엄령이 내렸대."

그녀가 놀라워할 때도, 다만 그는 미안해, 했을 뿐이었다. 그러는 그의 얼굴에 웃음이 없기는 했지만.

미안해, 라는 그의 웃음을 보며 그녀는 아, 이제 우린 만났어, 하는 다사로움을 느꼈다. 마른 풀이 발 밑에서 서걱이고, 그렇게 말라 가는 육신이 있던 아침나절을 벗어나서 그녀는 낯익은 집으로 들어가듯 그들의 분위기 속으로 들어가고 있었다.

　나란히 유원지 안으로 들어갔다.

　왼편으로 양어장이라는 푯말이 붙은 커다란 연못가에는 마른 등나무가 틀어 올라간 문이 보이고, 노란색 칠을 한 벤치가 놓여 있었다. 그림 같았다. 유원지의 울긋불긋한 원색 페인트 칠이 그들에게 여행자가 가지는 설렘을 안겨 주고 있었다.

　매점·탁구장·음식점들이 늘어선 오른편으로 해수욕장이 나타났다. 바다를 면한 제방 안쪽으로 모래를 깔고 만든 해수욕장이었다. 둥글게 퍼진 모래밭에 물이 빠져서, 쇠기둥을 박은 밑바닥 시멘트까지 드러난 다이빙대가 앙상하게 솟아 있었다.

　둥근 모래밭이 텅 비어 있고, 비 내린, 체육 대회가 끝난 시골 초등학교 운동장 위에 걸린 만국기처럼 모래밭의 저 끝에 유흥장의 페인트 칠이 보일 뿐이었다. 다이빙대의 높이를 생각할 때 물이 차면 여간 아늑해 보일 해수욕장이 아니었다. 그러나 물이 빠진 탓으로 더욱 넓어 보이는 해수욕장은 다만 쓸쓸했다.

　갑자기 서늘해진 날씨 때문에 내의를 꺼내 입고 출근을 하다가 옷에서 풍기는 나프탈렌 냄새 속에서 이제 여름이 갔음을 느껴야 하던 도회의 늦가을, 플라타너스의 잎이 굴러가는 거리에서 버스를 기다리며 그녀는 이 곳을 그리워했었다. 거긴 말야, 등나무가 눈부시게 푸른 연못도 있고, 배를 타고 나가면 굴을 딸 수 있는 섬도 아주 가까이에 있어. 그는 손을 저으며 열심이었지. 지난 여름, 칫솔까지 챙겨 놓았다가 못 오고 말았기에 더욱 생각났는지도 모른다.

겨울의 해수욕장에 이글거리는 여름은 없었다. 바닷물에 씻긴 가슴들을 안고 사람들은 다 떠나 버린 빈 모래밭을, 그러나 손바닥과 손바닥으로 따스하게 속삭이며 그들은 거닐었다.

바다를 막은 방죽 너머에서 사람들이 걸어 나왔다. 웃음소리가 들렸다. 초록빛 긴 코트를 입은 여자가 남자에게 잡히지 않으려고 달려가고 있었다. 여자가 돌아서면 다시 남자가 쫓기곤 했다. 그녀는 모래를 차면서,

"올해 유행하는 색깔이 그린이거든. 어느 새 초록빛이 여기까지 왔지?"

모래밭을 지나 방죽으로 올라섰다.

"아……."

그녀는 흠칫 서 버렸다. 바다였다.

간조로 물이 빠져 나간 까아만 갯벌이 햇빛을 받아 멀리멀리 반들거리고 있었다. 배로 가야 한다던 작은 섬까지 갯벌이 드러나고 그 바닥에 놓여진 길고 긴 돌다리가 점점이 이어지고 있었다. 햇빛을 받아 빛나는 갯벌이 망연히 펼쳐지고 그 사이로 가늘게 이어진 한 줄기의 돌다리 끝에 보오얗게 흐린 바다를 배경으로, 역광을 받아 까아만 섬이 떠 있었다.

끝이 보이지 않고 뻗어나간 방죽 위에 바람을 맞고 서서 눈시울이 뜨겁도록 아름다운 바다를 내다보고 있는 그녀를, 그의 팔이 감싸안았다. 납물 같은 갯벌 위에 검은색과 흰색의 선과 면으로 짜여진 바다와 돌다리의 모습이 뜨거운 화인처럼 가슴에 들어와 박혔다.

그들은 방죽을 내려와서 돌다리를 걸었다. 고기 비늘같이 결이 져 빛나는 갯벌에 목선 힌 척이 놓여 있있다. 물이 빠지며, 낮은 갯벌에 남았던 물이 졸졸거리며 바다로 흐르고 있었다.

"이상하다, 그치? 바닷물이 다 흐르네."

그녀는 어린애처럼 종알거렸다.

긴 돌다리를 하얗게 하얗게 이를 드러내며 걸었다.

나무가 소복하게 얹힌 섬 아래에는 넓직한 바위들이 바다로 비껴나와 있었다. 바위에 올라서서 그가 내미는 손을 잡으며 그녀는 섬으로 올라 갔다. 섬의 뒤편으로 돌아가자 다시 반들거리는 갯벌이 펼쳐졌다. 바위에 앉거나 서서, 바다를 내다보거나 사진을 찍기도 하는 사람들이 많이 있었다. 모두가 쌍쌍이었다.

모래 가마니를 줄지어 놓은 길이 갯벌 위에 뻗어 있었다. 멀리서 조개를 잡는 사람들이 보였다.

어디선가 끄이윽 끄이윽 하는 새의 울음소리가 들렸다. 그녀는 우윳빛 유리로 가린 듯 보오얀 바다를 둘러보았다. 하늘을 쳐다보면서,

"무슨 샐까?"

그녀는 물었다. 그가 다른 바위로 건너뛰며,

"글쎄, 갈매긴가."

아무것도 보이지 않았다. 어디선지 알 수 없게 끄이윽 끄이윽 하는 새의 울음소리만 들렸다. 보이지 않는 새들이 어디에서 날고 있을까.

줄지어 놓은 모래 가마니 위를 해풍에 머리칼을 날리며 젊은 남녀가 걸어 나가고 있었다. 반들거리는 갯벌에 까맣게 새겨진 그들을 보며,

"우리도 저길 가 볼까?"

하는 그녀의 말에,

"저 끝에 가 서서 뭘 하고 싶어?"

그가 돌아다보았다. 무엇을 할까. 그녀는 그의 곁으로 다가가서 속삭이듯 말했다.

"쉬――를 하고 싶을 거야."

그들은 소리 내며 웃었다. 햇빛 속에 박힌 그들의 모습은 하늘로 하

늘로 떠오르는 것 같아 보였다. 그 때 그녀는,

"어마, 저 남자 저기서 코를 풀었어."

하며 고개를 돌려 버렸다. 남자가 버린 휴지가 햇빛 속에 포물선을 그으며 갯벌로 떨어졌다. 그가 말했다.

"있을 건 어디에나 다 있지."

한 쌍의 남녀가 그들을 지나갔다. 남자가 앞서 걷고 있었다. 돌아다보며 이야기를 할 때마다 여자는 멈칫 서곤 했다. 남자의 나이가 훨씬 많아 보였다.

"아직 깊은 사이가 아닌가 보지?"

그녀가 웃었다. 그도 싱긋 웃었다.

"이제 돌아가면 깊은 사이가 되는 거야."

바닷바람이 가려지는 큰 바위 아래로 내려와 나란히 기대섰다. 바위엔 서릿발 같은 조개들이 다닥다닥 붙어 있었다. 가까이에서 노랫소리가 들렸다. 그가 웃음을 터뜨리며,

"쟤들 좀 봐."

그가 가리키는 곳으로 눈을 돌렸을 때, 그녀도 후훗 하고 웃고 말았다. 스무 살 남짓한 남녀였다. 바위 아래 모랫벌을 걸으며 노래를 하는 여자의 뒤를 남자아이가 지휘라도 하듯 팔을 저으며 따라가고 있었다. 어깨에 매는 끈이 긴 여자의 핸드백을 남자가 목에 걸고 있었다. 목에 건 핸드백을 다롱거리며 걸어가는 남자아이를 바라보며 그녀는 다시 웃었다. 마음이 밝아지는 정겨운 모습이었다. 바위를 오르내리느라 여자의 끈이 긴 핸드백이 거추장스러웠겠지. 그것을 받아 자기 목에 건 남자. 그들에게 어떤 축복 같은 것을 주고 싶었다.

바위로 올라서니 추웠다. 다리가 싸늘하게 얼어들며 떨렸다. 오래 바닷바람을 쏘인 탓인가 보았다. 그녀는 섬기슭에 세워진 목조 다실을 쳐

다보았다. 다실이라기보다는 간이 식당 정도로 생각할 수 있을 허름한 집이었다. 그 집을 지나치다가 '차 있습니다' 라고 씌어진 서툰 글씨를 보며, 택시 주차장인가 봐, 하고 그가 웃었던 집이었다.

집 안으로 들어서니 훈훈했다. 안쪽으로 소주나 오징어 같은 식품들이 놓여 있는 실내의 무쇠 난로에서 장작불이 펄펄 소리를 내며 타고 있었다. 두어 개의 탁자는 비워 둔 채, 몇 사람이 난롯가에 둘러앉아 있었다. 그들도 의자를 옮겨 난롯가에 다가앉았다.

여기선 맛살조개나 생선회가 별미라면서 수염이 꺼먼 주인 남자가 난로에 장작을 넣었다.

"뭘 좀 먹을래?"

"아니, 그냥 차나 한잔 할래."

그들은 창밖으로 바다를 내다보았다. 먼저 와 있던 사람들도 별말이 없었다. 오징어를 먹던 남녀가 계산을 하고 밖으로 나갔다. 타원형의 쟁반에 받쳐 온 차를 그가 받아 무릎에 놓았다. 장작불이 화끈거리는 난로 앞에서 무릎을 다탁 삼아 차를 마셨다. 갯벌 위에 결이 져 반짝이는 햇빛을 가만히 바라보면서,

"물이 몇 시에 들어오나요?"

그녀의 물음에 주인 남자가,

"오늘 만조가…… 열한 십니다."

굵은 목소리였다. 그가 무릎 위에 빈 찻잔을 치우고 천천히 담배를 붙여 물면서,

"지난 주엔 뭐했어?"

"지난 주?"

그녀는 바다 위에 띄워 놓았던 눈을 거두어 그를 마주 보았다. 그리곤 담담하게,

"그냥, 아무 일도 없었다."

다시 바다로 눈을 돌렸다. 남아 있던 두 남녀마저 밖으로 나갔다. 그녀는 혼잣말처럼 나직이,

"사자하고 놀았어."

"사자?"

"으응, 사자하고……."

그의 얼굴에 웃음이 감돌았다.

"그럼, 창경원엘 갔었어?"

그녀는 가만히 고개를 끄덕였다. 그래, 사람도 별로 없는 창경원의 사자는 웅크린 채 졸고 있었다. 철장 안에서 초라하게 어슬렁대다가 다시 돌아와 누워 버리던 사자. 어쩌면 아직 자기가 걸을 수 있다는 데 깊은 실망을 느끼는 것만 같은 모습이었다. 그녀는 말하고 싶었다. 거길 나와서 병원엘 갔었어. 벽을 향해 달려드는 사람처럼, 그렇게.

찬바람이 휘몰려 가는 가슴팍을 쓸어내리며 그녀는 말했다.

"올핸 겨울이 너무너무 따뜻해."

그들이 밖으로 나왔을 땐, 암흑빛 갯벌과 그 끝의 바다가 바알갛게 물들고 있었다. 낙조였다. 시뻘건 불덩이가 거꾸러지면서, 거울처럼 반들거리던 갯벌은 군데군데 자홍빛이 아롱지더니 캄캄하게 가라앉아 가는 것이었다. 먼 수평선에 칼날에서 돋아나는 것 같은 푸른빛이 떠오르고 있었다.

바위를 뛰어넘으며 그들은 섬을 돌아나왔다. 이제는 새까맣게 펼쳐진 갯벌 위로 뻗어 있는 돌다리를 걸었다. 방죽으로 올라와서 돌아다보니, 해는 바닷속으로 잠겨 버리고 까만 갯벌 위에 굵은 붓으로 그은 듯 바다는 하얗게 하늘과 땅을 가름하고 있었다.

텅 빈 모래밭에도 어둠이 퍼지고 있었다. 다이빙대가 캄캄하게 묻혀

가는 해수욕장은 늪처럼 어두웠다.

해수욕장의 한쪽을 둘러싸고 있는 유흥장에 불이 켜졌다. 비어 홀에서 느린 섹소폰 가락이 새어 나왔다. 군용 막사같이 쓸쓸해 보이던 집이었다.

모래밭이 끝나는 곳에서 바라보니, 연못 둘레에 켜 놓은 불빛에 벤치들이 화안하게 비어 있었다.

"우리 여기 좀 앉았다 가."

"이제 그만 가야지."

달래듯 굴러 오는 목소리를 들으며,

"조금만, 응."

그녀는 그의 팔을 끼었다.

"춥지 않아?"

"…… 아아니."

그들은 벤치로 다가갔다. 나란히 앉았다. 잿빛 하늘에 잠겨 가는 산이 마주 보였다. 오전에 그녀가 올라갔던 산이었다.

"참, 나 저 산엘 갔었어."

그녀는 낮에 본 초분과 거기서 만난 사람들을 이야기했다. 고기 한 마리가 떠올랐다 사라진 연못 위에 둥근 물결이 퍼져 나가고 있었다.

"전에 자기는 그랬었어. 초분을 하게 된 중요한 이유가 내세관이나 조상을 생각하는 효성보다는 당사자의 실생활 속에 있는 것 같다고 말야."

……그렇지만 자기의 삶을 독립적인 생애로 이해하기보다는 조상과 후손으로 이어지는 과정에서 그 둘을 잇는 매듭으로 생각했던 우리의 선조들. 과거의 처리는 곧 자신의 삶이 해야 할 가장 큰 과제였으리라. 그것이 바로 효도의 바탕이기도 했다. 선영의 뒷자리를 잘 쓰는 일은

후손의 번영을 가져오게 함이었고, 후손이 잘될 때에는 비로소 죽어서 조상 볼 낯이 있다는 자신의 삶이 이루어질 수 있었다면 그것은 역시 내세관의 영향이 아니겠는가.

담배에 불을 붙이며, 그가 나직하게 말을 받았다.

"죽음의 문제를 생각할 때, 살아간다는 건 도대체 뭘까, 하는 의문은 누구나 가지게 될 거야. 그러므로 내일을 의탁할 대상이 필요한 거지. 죽는다는 어쩔 수 없는 진실을 앞에 하고 미지의 시간을 맡길 수 있는 신을 만들지 못한 이 땅의 사람들이지. 무속과 같은 원시적인 사제의 형태를 넘어설 수 없었던 그들에게 있어, 장의 예식의 절차가 그렇게 복잡했던 것은 필연적인 건지도 몰라. 죽어서 이 곳보다 더 좋은 하느님의 나라로 가는 게 아니라, 다만 죽어 묻힐 뿐이라는 의식 구조가 시체에 그렇게 많은 의미를 부여하게 했을 거야. 시체에까지 매달려야 하는 미지의 시간에 대한 두려움."

"그래, 바로 그런 데서 생긴 게 내세관이 아니냔 말야."

그녀의 얼굴을 마주 보며, 그는 소리 없이 웃었다.

"여러 가지 원인들이 있을 수 있겠지. 그런데 흥미치고는 너무 음침하군."

그녀는 잠시 고개를 숙였다. 등나무의 마른 잎을 스치며 지나가는 바람에 섞여, 유원지에서 색소폰 소리가 간간이 들려왔다. 낮에 산을 내려오며 스스로에게 가졌던 의문에 대답하듯 그녀는 말하고 있었다.

"거기에는 그래도 내일을 향한 믿음이, 그래서 영원한 것을 생각하는 마음이 깃들어 있는 걸 거야."

그것은, 우리들의 삶이 얼마나 왜소한가를 말없이 보여 준 겨울 바다의 망연함이 이야기한 말이었으리라. 내일을 믿다니. 마른 수초가 떠 있는 연못을 바라보며 그녀는 이내 고개를 저었다.

흘러간 시간들이 만들어 놓은 믿음들이 하나하나 부서지는 오늘, 난 내일을 믿을 수가 없지 않았던가. 죽는다는 그것마저도 나에게 진실만은 아니었으니까. 24층 스카이라운지에서 아이를 수술하기를 마음먹으며 불빛이 헤매는 거리를 내려다보았다. 처참한 가슴으로 그녀는 그 불빛이 아름답다고 생각했다.

아이를 낳는다는 결심을 할 수가 없었다. 불러 오는 배를 웨딩드레스에 감추고 신혼여행을 떠나면, 몇 달 후에 아이를 낳을 수는 있었다. 그러나 그녀는 스스로에게 말했었다. 자신을 속이진 말자고. 생활을 바로 보자고 다짐하면서 그녀는 그 결혼과 출산으로 이어질 내일이 진실은 아니라고 세차게 고개를 흔들었다.

그런 그녀를 할퀴듯 괴롭힌 것은 자기 혼자 치러 낸 수술마저도 역시 진실은 아니라는 느낌이었다. 어느 쪽을 선택해도 그것은 허위일 수밖에 없으리라는 생각이었다. 그래서 그녀는 물었다. 아이가 태어나지 않는 것만이 진실일까 하고. 출산의 고통, 그것은 이마에 소금을 절이며 일해 온 남자의 곁에서 여자가 가져야 했던, 헤아리기조차 어려운 옛날부터 이어진 일이었다.

잘못은 어디에 있었을까.

그런 의문의 끝에서, 자신의 사랑을 의심해 보며 그녀는 열차를 탔었다. 밤새도록 가혹한 심문을 했지만 그녀의 사랑에는 죄가 없었다. 그들이 만났던 시간의 어디에도 빼앗거나 바친다는 뜻은 없었다. 배신이라는 결과가 있을 수 없는 시간들이었다. 다만 서로가 갈망했을 뿐이었다.

그리고 새벽.

휴지 소삭이 날리는 플랫폼을 빠져나오다가, 그녀는 나직하게 말했었다. 얘야, 인간이란 괴로움이나 슬픔까지도 스스로 만들어 왔어. 그리곤 그 고뇌와 비애를 또 참아내 온 거야. 너도 이젠 고통을 참는 법을 배우기로 하자.

그의 어깨에 머리를 묻고, 연못 건너에 있는 빈 벤치를 바라보았다. 그도 무슨 생각을 혼자 했던가 보았다. 낮은 목소리로,

"봄엔 다시 서울로 올라가야겠지?"

올라와야 할 사람은 자기이면서 그녀에게 묻고 있었다.

"그럼…… 안 올라올 테야?"

"가야겠지. 다만 무언가 두려운 생각이 들어."

두렵다니? 그가 처음 내보인 말이었다.

이 곳에 회사 확장 계획에 따른 제2공장을 짓게 되면서, 그는 자원해서 내려왔었다. 그 동안, 화를 내고 있는 사람처럼 일에 매달렸었다. 그런 그를 보는 것은 언제나 즐거운 일이었다. 그동안에 보여 준 능력으로 해서 다시 본사로 올라오면서 과장 승격이 확실하다는 것은 비서실에 있는 그녀만이 아는 사실도 아니었다. 함께 입사한 사원들 중에서는 가장 빠른 승진이었다.

"왜? 본사가 싫어?"

"아니, 그런 얘기가 아냐."

그는 코트 깃을 감싸쥐면서,

"공장이 세워지면서…… 이런 생각을 했어. 건물의 골격을 세울 때 철근을 박은 다음 나무로 통을 짜서 그 속에 시멘트를 부은 후 콘크리트가 굳으면 나무 판자를 떼어 버리지. 또 인부들이 벽돌을 나를 때 딛고 오르는 나무 기둥들, 많이 보았을 거야. 그런 건 건물이 되면 다 뜯어 버리는 것들이지."

잠시 말이 끊겼다. 담배를 밟아 끄고, 그가 벤치 등받이에 몸을 기댔다.

"우리들이 일을 한다는 건 결국 그런 나무들의 역할과 같은 거라고

말할 수 있겠지. 출퇴근이라는 생활…… 그 속에 무언가 진정한 뜻이 남아 있어야 할 게 아냐? 그런데…… 거기엔 아무것도 없거든. 그저 무의미한 일상사가 있을 뿐이야. 한때는 즐겁기만 했던 그 일상사가 차츰 괴롭게 느껴져. 마음의 어딘가에 흐르지 않는 물이 고여 있는 것 같은……."

이 남자가 가지고 있던 단순한 기쁨, 단순한 의욕들은 어디로 갔을까. 그녀는 암담했다. 가치의 기준은 다르더라도 누구나 자기가 살아가고 싶어하는 삶의 모습을 가지고 있을 것이다. 그리고 그것은 비참해지기보다는 행복해지려는 노력이리라. 그런데, 보다 행복해지려는 노력이 이런 의문을 가져왔다면 그 노력은 오히려 단순한 행복을 깨뜨리는 결과가 되는 것이었다. 열심히 산 시간이 오히려 그 '열심히' 속에 들어 있는 무모함을 보게 만들었다면, 이제 그에게 남는 건 무엇일까. 흐르지 않고 고여 있는 물.

"싫어. 여자한테 그런 얘길 하는 남잔."

겨우 그의 손을 잡으며 한 말이었다.

"엄살이지, 무지무지하게 논리성도 없는 얘기고. 산다는 거야 더 어려운 일 아냐?"

"그래도 싫어. 그런 얘기 다시는 하지 마아."

그녀는 일어섰다. 그리곤 캄캄한 어둠뿐인 바다를 향해 얼굴을 돌렸다.

"반딧불이라도 있었음 좋겠네."

이 어둠 속을 반딧불이라도 떠다녔으면 좋을 것 같았다. 그도 따라 일어서며,

"여긴 바다야. 그리고…… 겨울인걸."

그가 그리워하는 맑은 삶처럼 맑은 목소리였다.

"저쪽엔 바로 논이던데…… 여름에 한번 와 봤음."

"여름에도 반딧불은 없을 거야."

캄캄한 어둠을 바라보고 선 채 그녀는 물었다.

"왜애?"

"농약들을 심하게 뿌려 대서 반딧불마저도 이젠 다 멸종되어 버렸
어."

멸종돼 가는 반딧불. 바람에 날리는 불티같이 아직 죽지 않고 남아 있
는 한 마리 반딧불처럼 그의 말이 귓가에 웅웅거리고 있었다. 그녀는 문
득 고개를 들어 하늘을 쳐다보았다. 흐린 탓일까? 하늘에는 별빛마저 보
이지 않았다. 컴컴한 하늘이 그녀의 안으로 쏟아져 들어왔다. 머리를 산
발한 외마디 비명처럼, 그러나 소리 없이 가로질러 가는 말들이 있었다.

"이젠 어디에도 반짝이는 것은 없나 봐."

그녀가 혼잣말처럼 가만히 중얼거렸다.

하나, 둘, 셋, 넷 하고 헤아리다가 하얀 커튼과 벽과 그런 것들을 바
라보면서 깨어났을 때 바람에 흔들리는 유리창 소리만 자갈 굴리듯 귀
에 가득하던 그 아픔 속에서 그녀는 알아야 했다. 이제 자기에게 반짝
이는 것은 없다고. 저 하늘의 은하수…… 어둠 속을 떠다니는 반딧불도
없는 이 하루. 빛나는 눈망울을 가진 아이마저도 죽여 버린 여자의 이
사랑. 그녀는 캄캄하게 고개를 숙였다.

은하수도 반딧불도 없는 그녀의 안쪽을 이름 모를 새가 끄이윽 끄이
윽 날고 있었다. 망연히 서 있는 그녀의 뒤에서,

"이젠 가야지. 늦었어."

그의 목소리가 들렸다. 그래, 가야겠지. 사람들은 그렇게 사는 거니
까.

이제 돌아가야 할 도시를 그녀는 떠올렸다. 알 수 없는 빛에 넘쳐서

살아 움직이는 밤거리. 낮이면, 내장이 터진 물고기 같은 그 도시에서 파리 떼처럼 웅웅거리며 밀리고 밀리고 또 밀리면서도, 사람들은 가슴 어딘가에 별 같은 것들을 하나씩 달고 있을지도 모른다는 생각이 들었지만, 그녀는 이내 고개를 저었다.

무엇으로든 이 가슴속 하늘 높이 흐르는 은하수를 가려 버려야 한다. 마음의 벌판에서 끝없이 찾아 헤매려 하는 꿈의 반딧불을 죽여야 한다. 그래서 미움도 사랑도 없이 이제 돌아가야 할 거리의 불빛을 바라보는 일, 그 일을 해내야 한다. 저 동물원의 사자처럼 아직 걸을 수 있음을 이따금 확인하면 되는 거야. 보이지 않는 아무것도 그리워해서는 안 돼.

아, 그렇지만, 그렇지만…….

"자, 가야지. 안 갈 거야?"

그의 팔이 어깨에 얹히며 그녀를 돌려세웠다. 틀어 올라간 등나무의 마른 가지들을 보며 그녀는 생각했다. 가을에 진 나뭇잎도 봄이면 새로이 피어나지 않던가. 그의 가슴에 힘없이 몸을 기대며 그녀는 말했다.

"더 어두워지면 갈래."

그 때, 그녀의 안에서 날개를 퍼드덕거리며 수없이 많은 새들이 떨어져 내렸다. 끄이윽 끄이윽. 수면도 없이 컴컴한 마음의 늪지로 빠져 가는 소리들, 그것은 마악 태어나는 아이들의 울음소리 같기도 했다.

박범신

역신의 축제

식 구

지은이

1946~ 충남 논산 출생. 1973년 《중앙일보》 신춘문예에 단편 〈여름의 잔해〉가 당선되어 문단에 데뷔했다. 〈토끼와 잠수함〉, 〈식구〉, 〈말뚝과 굴렁쇠〉, 〈역신의 축제〉, 〈흉기〉, 〈못과 망치〉 등의 단편과 〈죽음보다 깊은 잠〉, 〈풀잎처럼 눕다〉, 〈불의 나라〉 등의 장편을 신문·잡지에 연재했다. 1981년에는 장편 〈겨울강, 하늬바람〉으로 제1회 대한민국 문학상 신인상을 수상했다.

역신의 축제

1

정지하 전도사가 우리 마을에 온 것은 빤히 건너다뵈는 저수지 수면 위에 암회색 구름이 무겁게 내리덮인 초여름 저녁 무렵이었다. 저수지 물빛조차 짙은 암회색으로 가라앉아 있어서 멀리 고내곡재 아래는 하늘과 수면이 한 덩어리였다. 침침한 제방이 마을에서 오륙백 미터 텃논을 건너뛴 자리에 쪽 곧게 저수지의 수면을 자르고 동구 앞의 삐죽이 올라선 수문에 닿고 있었다. 제방 위엔 아무것도 보이지 않았다. 저수지도 마찬가지였다. 건너편 마을에서 솟아오르는 저녁 연기를 빼면 움직임이라곤 전혀 없는 한 폭의 담채화였다. 마을 어귀의 공터에선 그 모든 적막한 풍경이 한눈에 보였다. 나는 언제나처럼 짚더미에 등을 기대고 앉은 채 한동안 그것을 바라보고 있었다. 비가 오려는지 날씨는 후텁지근했지만 땀은 나지 않았다. 뒤쪽에서 동무애들이 고샅을 빠져나오며 질러 대는 함성이 들렸다. 그 때였다. 마치 함성에 불려 오듯 불쑥 머리 하나가 제방 위로 솟아올랐다. 다음엔 가슴이, 허리가, 다리가 이내 모습을 나타냈다. 멀어서 얼굴은 윤곽조차 보이지 않았지만 키가 작은 남자였다. 나는 본능적으로 그가 우리 마을의 사람이 아니라는 것을 알아차렸다. 어딘가 모르게 낯설고 신비한 냄새가 나는 듯했다. 나는 자리에서 일어서려다가 그대로 다시 주저앉았다. 남자는 마을의 진입로에서 잠시 움직이지 않았다. 하나의 초가지붕, 하나의 미루나무 맵시까지 세세하게 살펴보고 거기서 시작되는 모든 통한을 지그시 눌러 참는 그런 표정이라고 나는 멋대로 단정해 버렸다. 동무애들의 함성이 바로 등 뒤에서 났다.

뭐하고 있니?

애들을 잔뜩 거느리고 온 강 진사네 손자 형철이가 긴 나뭇가지로 내 옆구리를 쿡쿡 찔렀다. 나는 말없이 제방 쪽을 손가락질했다.

저건 임마, 철중이 작은형이야.

실눈을 하면서 형철이가 말했다.

아냐!

아님 누구니?

몰라. 굉장히 아픈 사람인가 봐.

뚱딴지 같은 소리가 내 입에서 튀어나왔다.

웃기고 있네.

형철인 웃었다.

얼굴도 안 뵈는데 아픈 사람인 줄 네가 어떻게 알아?

모, 몰라.

짜식, 철중이 작은형이 면에 갔다 오는 거야, 임마.

나는 슬쩍 형철이 뒤에 선 철중이를 바라보았다. 무심코 철중이가 도리질을 했다.

아니란 말야?

형철이의 목소리가 한 옥타브쯤 튕겨 올라섰다.

그, 글쎄…….

글쎄가 뭐야, 새꺄. 기면 기고 아니면 아니지.

형철이의 나뭇가지가 이번엔 어김없이 철중이의 배를 세게 찔렀다.

그, 그래. 우리 형인가 봐.

내 시선을 피하며 철중이가 우물우물 대답했다.

것 봐.

의기양양해서 형철이가 소리쳤다.

철중이도 자기 형이라는데 왜 성재 너 혼자 우기니? 니 눈이 망원경이니?

아이들이 와 하고 웃었다. 남자는 아직도 제방 위에 작은 나무처럼 서 있었다.

말타기 놀이가 시작됐다. 한 사람이 짚더미에 기대서서 양다리를 벌리고 다른 애들이 고개를 처박고 엎드리면, 형철이를 대장으로 하는 강씨네 애들이 뒤로부터 달려와 뜀틀을 구르듯 잔등 위에 척 올라타는 것이다. 한 판이 끝날 때마다 가위바위보로 기수를 정했지만 그것은 하나마나였다.

이번엔 가위를 내야겠는데…… 침을 손바닥에 퉤퉤 뱉으며 형철인 번번이 이렇게 암시했고, 우리들은 눈치껏 보를 내밀어서 가위를 맞췄다. 어쩌다 말을 제대로 못 듣고 가위에 주먹이라도 내면 형철인 당장에 생트집을 잡아 나뭇가지를 날렸다.

새끼, 내가 가위 내는 걸 다 보고 나서 주먹을 내는 게 어딨어?

형철인 정해 놓고 기수가 되었다.

형철이와 같은 진주 강씨 애들은 덩달아 말을 탔고, 나머지 아이들은 마부를 빼곤 언제나 엎드리게 마련이었다. 강씨가 아닌 게 자나깨나 한이었다.

아버지, 우리도 성 좀 갈 수 없어?

성을 갈다니?

진주 강씨 하잔 말야. 강 진사 어른한테 사정 좀 해 봐.

성은 가는 게 아니다.

강 진사 어른만 승낙하면 갈아도 되지, 뭘 안 돼? 이제 말 노릇도 지긋지긋하단 말야.

말 노릇도 지긋지긋했지만 아이들은 기수가 못 돼 보는 걸 과히 섭섭하게 여기지는 않았다. 형철이와 같은 진주 강씨가 되는 일은 불가능했으므로. 강씨가 아닌 아이들의 목표는 양다리를 벌리고 서는 마부였다. 마부를 정하는 가위바위보에선 뭘 내놔도 상관없었다. 가위에 주먹이 이기고 주먹엔 보가 이기고, 이긴 사람은 형철이를 위해서 마부가 되는 것이었다.

오늘은 철중이 너도 내 편에 붙어.

형철이가 말했다. 특별한 선심에 철중이의 입이 함박만큼 벌어졌다. 철중인 나와 같은 청주 한씨였다. 나머지 우리들은 형철이의 마부가 되기 위해서 열심히 가위바위보를 했다. 두 번째엔 내가 마부였다. 형철이를 선두로 강씨네 애들이 엎드린 말잔등에 척척 타 올랐다.

난 보를 내고 싶은데…….

형철이가 내 눈을 빤히 들여다보며 중얼거렸다. 그것은 나보고 주먹을 내밀라는 신호와 같았다. 나는 주먹을 내밀었다. 아니, 그건 생각뿐이었다. 나가고 보니 주먹이 아니라 가위였다.

임마!

실수를 깨달았을 땐 형철이의 나뭇가지가 내 이마 위로 철썩 떨어지고 난 뒤였다. 얼음이 갈라지듯 예리한 통증이 왔다.

똑같이 내야지, 왜 나보다 늦게 내? 이 자식이 아까부터 자꾸 약올리고 있어.

또 나뭇가지가 세차게 날아왔다. 나는 본능적으로 고개를 숙였다. 그때, 아주 착 가라앉은 목소리가 들려왔다. 습기 찬 동굴을 울려 나오는 것처럼 우렁우렁하는 목소리였다.

　이앤 정당했다. 너보다도 늦게 내민 게 아니야.

　낯선 남자가 내 이마로 떨어지는 나뭇가지를 대신 손바닥으로 받아 내고 있었다. 키가 유난히 작은 남자였다. 우리보다도 기껏 한 뼘쯤 더 솟은 난쟁이에다 해질 대로 해진 검정 가방을 들고 있었다. 이마는 창백하게 튀어나오고 검은 눈빛은 반짝반짝했다.

　놔요!

　붙잡힌 나뭇가지를 잡아당기며 형철이가 쇳소리를 냈다.

　이번엔 네가 말이 될 차례야.

　노란 말예요.

　네가 말이 돼서 엎드리면 놔 주지.

　우지끈하면서 나뭇가지가 부러져 나갔다. 형철이가 엉덩방아를 찧으며 주저앉았다.

　이리 와.

　키 작은 남자는 말했다.

　싫어요!

　그럼, 강제로라도 시킬 테야.

　난쟁이!

　고샅으로 줄행랑을 놓으며 형철이가 마침내 악을 썼다.

　씨양놈의 난쟁이 자식!

　닮았군.

　남자가 중얼거렸다.

　강 진사 성미하고 똑 닮았다니까…….

　잠시 그와 눈싸움하듯 마주 서 있었다. 애들이 몰려가 버리고 나자, 마을은 쥐죽은 듯이 조용했다. 고내곡재는 윤곽뿐이지 보이지 않았다.

어둠이 산비탈을 타고 슬금슬금 내려오다 저수지 한쪽을 냉큼 잡아먹었다.

아저씬 누구예요?

전도사다.

그는 짧게 대답했다.

전도사라고요?

그래, 난 전도사야.

자기 말을 증명이라도 하듯이 그는 공터 한쪽 켠에 있는 예배당을 향해 걸어가기 시작했다. 전도사라니. 꽁무니를 따라가며 나는 침을 꼴깍 삼켰다. 지난 몇년 동안 예배당은 거의 버려져 있었다. 초가에다가 이엉을 해 얹은 지가 오래돼서 여기저기 푹푹 꺼진 지붕 위엔 잡초만 자랐다. 흙벽은 푸실푸실 떨어지고, 문을 열자 열 평쯤 돼 보이는 실내에서 쾨쾨한 냄새가 났다. 바닥은 가마니가 깔려 있었다. 판자로 엉성하게 짜놓은 제단 위엔 먼지가 층층이 쌓여 있고, 타다 만 초 도막이 옆으로 넘어진 채였다.

예배는 보지 않니?

황량한 예배당을 한바퀴 돌아나오며 그가 물었다.

사람이 있어야지요.

나는 코를 찍 풀었다.

봐 봤자예요. 열 명도 안 되는걸요.

몇년 전, 그 일이 있기 전까지는 읍내 본교회에서 전도사가 주일마다 내려와 예배를 인도하곤 했었다. 교인도 꽤 많았고 크리스마스가 되면 광목 휘장을 두르고 연극까지 했나. 그러나 그 일이 있고부턴 아무도 예배당에 발을 들여놓지 못했다. 강 진사가 출입구에 못질을 해 놨기 때문이었다. 이제 출입구는 열렸으나, 사람 없기는 그 때와 매한가지였다. 기껏 주일이면 배 집사네 가족이 모인다. 어쩌다가 어머니와 누나가 낄 때도 있다. 찬송가도 부르지 않고 웅얼웅얼 기도하는 게 고작이다. 동네 조무래기들이 몰려와 돌팔매질을 해도 배 집사는 눈 한 번 부릅뜨지 못했다.

종탑이에요.

잡초가 무성하게 자란 뒤뜰로 나오며 내가 아는 체를 했다.

이게 쓰러질 땐 굉장했어요. 그 일만 없었음 지금도 아침저녁 종이 울릴 텐데…….

가로세로 쓰러진 통나무 사이에 종탑의 지붕이었던 삭은 함석 잔해가 을씨년스럽게 쑤셔 박혀 있었다.

그 일이라니?

무서운 일이 있었어요. 강 진사가 재판을 했거든요.

재판은 공터에서 벌어졌다. 강씨네 청년들이 횃불을 들고 공터 주변에 죽 둘러 서 있었다.

멍석말이를 시키고 내쫓아라.

두루마기 자락이 차갑게 한 번 올라갔다 내려왔다. 청년들이 우르르 꿇어엎드린 치수 형을 멍석에 말았다.

쳐라!

강 진사의 목소린 찌렁찌렁했다. 치수 형의 어머니가 하얗게 질린 얼굴로 실신하며 주저앉았다. 홍두깨와 몽둥이가 수없이 멍석 위로 떨어졌다. 피가 흘러나왔다.

어째서?

조급해진 음색으로 그가 물었다.

연앨 했대요.

예배당에서 치수는 조무래기들한테도 인기가 좋았다. 찬송가를 특히 잘하고 여자처럼 이뻤다.

둘씩이나 데리고 연앨 했대요.

그러나 소문뿐이었다. 우리들은 거의 진종일 예배당에서 지냈지만 치수 형이 둘씩이나 붙어먹는 걸 한 번도 보지 못했다.

새꺄, 누가 예배당에서 했대?

아이들은 말했었다.

그럼?

강 진사네 밀밭 있잖아. 거기서 했대. 밀대가 한쪽으로 온통 넘어져 있다는걸.

정말?

정말이잖고.

가 보자!

우리들은 곧잘 밀밭으로 우르르 몰려갔다. 밀은 건강하게 자라고 있었다. 소리만 들릴 뿐 앞서 들어간 아이들의 옷자락은 보이지 않았다. 강씨네 처녀 하나가 저수지에 몸을 던진 것은 밀을 다 베어 내고서였다. 이틀이나 무당이 넋을 건지기 위해서 애를 썼지만, 쌀 주발 속에 머리카락은 나오지 않았다.

예배당에 발을 들여놓은 사람은 무릎뼈를 분질러 놓을 터인즉······.

청년들이 종탑을 무너뜨리자 강 진사는 빳빳한 수염을 바르르 떨면서 말했다. 피칠을 한 치수 형은 그 밤 안으로 마을을 떠났다. 아랫재빼기 분이가 보퉁이를 안고 뒤를 따라갔다. 강씨네 청년들이 종을 향해 도끼귀를 내리치면 둔탁한 울림이 저수지 어둠 사이로 날아갔고, 수면은 깜짝깜짝 놀라며 음신하게 돌아누웠다.

종은 어디 있니?

그가 엎드려 함석 한쪽을 잡아당겼다.

배 집사네 집에요.

나는 대답했다. 배 집사네 윗방엔 종이 있었다. 가운데가 쫙 갈라진 종이었다. 배 집사는 예배당의 잡초는 그냥 놔 두면서도 깨어진 종은 정성을 다해 닦았다. 종은 항상 윤기가 반지르르 났다.

예배당은 연애당이랬어요. 그치만 그 종은 깨어졌어도 피 한 방울 안 나요. 멋지게 생겼걸랑요.

종이란…….

그가 어두워지고 있는 저수지를 건너다보며 말라붙은 입술을 혀로 핥았다.

소리가 나야 멋진 거란다. 낼부터는 소리가 날 거야.

어떻게요?

종탑을 다시 세울 참이거든.

그건 안 돼요!

나는 단정을 내렸다.

강 진사는 못 세우게 할 거예요.

종을 치는 건 자유다.

어림없다니까요. 우리 동네에선 강 진사가 자유를 정하는 거랬어요. 말 안 들음 아저씨도 치수 형처럼 쫓겨날 거예요.

나는 쫓겨나지 않아.

여전히 자신만만하게 그가 말했다.

참 내!

나는 안타까워서 발을 동동 굴렀다.

강 진사는 이 대통령 할아버지하고도 친구래요. 아무도 그 분의 말을 거역 못한단 말예요.

정말이지…….

말끝을 사리면서 그가 잠깐 나를 바라보았다.

거역할 수 없는 것은 하나님 말씀뿐이야!

눈빛이 차갑게 반뜩 타올랐다.

2

누나.

왜?

참 이상해.

뭐가?

종소리.

종소리가 들렸다. 깨진 종이어서 울림은 거의 없었지만, 소리만은 요란했다. 쨀그랑 쨀그랑, 새벽에도 울고 저녁에도 울었다.

종소리가 왜?

강 진사가 왜 가만히 있을까?

전도사님은…….

수틀을 옆으로 놓으며 누나가 정색을 했다.

보통 분이 아니셔. 성령이 깃든 분이거든.

성령이 뭔데?

하나님.

전도사님이 하나님이란 말야?

하나님은 아니지만 하나님과 같대도.

쳇, 기면 기고 아니면 아니지 같은 건 또 뭐야?

강 진사도 암말 안하시잖니?

글쎄 말야. 나도 그게 이상해. 아버지도 그렇고…….

아버진 노름쟁이였다. 집에 있는 날보다도 나가서 있을 때가 더 많았다. 어머니와 누나가 예배당 가는 것을 좋아하지 않았다. 지게 작대기로 어머니를 두들겨 팰 때도 있었다. 취해 잠들면 밤새 이를 닥닥 갈았다. 쩍 벌어진 앞니가 유난히 노랗게 솟아올랐다.

니네 아버진 독종이래.

때때로 철중이가 말했었다.

왜 앞니가 앞으로 뻐드러졌는지 알아?

몰라.

전에 구장하던 용칠이 아버지 있지?

용칠이 아버진 힘이 장사였다. 쌀 두 가마니를 가볍게 져 날랐다.

용칠이 아버지가 노름판을 없애려다가 니네 아버지하고 쌈이 붙었었다. 쌈은 붙으나마나였다. 아버진 전도사보다도 조금 더 큰 키에 바싹

말랐다. 어디에고 힘 쓸 것 같지 않은 왜소한 체구였다.

니네 아버지가 용칠이 아버지의 넓적다릴 꽉 물었다더라. 몽둥이로 두들겨도 놔 주지 않았대. 용칠이 아버지 살점이 이만큼 떨어지고…….

철중이는 손바닥을 반쯤 싸쥐곤 쑥 내밀었다. 우리들은 용칠이 아버지의 넓적다리를 보기 위해 졸졸 따라다녔다. 사루마다를 입었을 때 보니까 흉터 한쪽 끝이 살짝 보였다. 독종인 아버지도 전도사와 안방에서 한 시간쯤 얘길 하고 나오더니 태도가 싹 달라졌다. 예배당을 가도 좋다는 것이다. 뿐만 아니라 건너편 골방을 치우고 전도사를 머물게 하라는 것이었다. 전도사는 골방에서 자고 밥은 혼자 먹었다. 누나가 정성껏 밥상을 챙겨 들고 갔다. 상을 물리면 전도사는 호별 방문에 나섰다. 강씨네 집만 빼곤 어느 집이든지 쑥쑥 들어가 앉았다.

애들은 밖에 나가 놀아라.

전도사는 애들마다 빳빳한 십 원짜리 종이돈을 들려 내몰곤 했다.

전도사는 돈이 많대.

철중이가 말했다.

봤니?

울아버지가 그러더라. 지전 뭉치를 허리에다 차고 다닌다던걸.

전도사가 들어간 방에는 어김없이 문이 닫혔다. 말소린 들리지 않았다. 꼭 한 번뿐이지만 강 진사네를 찾아간 적도 있었다. 마을에 오고 다음 날이었다.

높다란 강 진사네 대문 앞을 서성거리며 나는 내내 조바심을 쳤다. 금방이라도 피투성이가 된 전도사가 쫓겨 나올 것 같았다. 그러나 전도사는 멀쩡했다. 보름이 지나지 않아 예배낭엔 사람들이 모이기 시작했다. 강단에서 예배를 인도하고 있는 전도사의 눈빛은 살쾡이였다.

요셉과 그 모든 형제와 그 시대 사람들은 다 죽었고 이스라엘 자손은 생육이 중다하고 번식하고 창성하고 심히 강대하여 온 땅에 가득하게 되었더라. 요셉을 알지 못하는 새 왕이 나서 애급을 다스리더니…….

전도사는 결국 강씨네 집에 들르지 않았다.

누나!

응.

왜 강씨네 집엔 안 가지?

그들은 죄인이래.

어째서?

몰라. 전도사님이 배 집사한테 그러시더라.

마을에 강씨는 오십여 호나 되었다. 전체의 삼분의 일이 채 안 되는 숫자였지만 세력에 있어서 다른 성씨를 완전히 압도했다. 강 진사를 중심으로 단합이 잘 됐고 또한 잘살았다. 진주 강씨가 아닌 사람으로 제 논을 가진 집은 반도 되지 못했다. 대부분 강 진사네나 다른 강씨 집에 소작을 부쳐먹었다. 소작료는 지주와의 비례가 5할이었다.

맨날 땀 흘려 지어 봐야 강씨네 머슴살이나 마찬가지여. 제에미랄것, 다른 동네에선 4할만 바치는 데도 있다는데 진사님도 해도 너무 한다니까.

말소릴 낮춰. 진주 강씨 뭣보다 귀가 밝다니까.

밝아 봤자지 뭐. 아무려면 이만 못할까?

그래도 진사님 덕 보는 거 많지 뭘 그래? 돈 급하면 장리쌀 주지, 철철이 풍물 돌려 앵기지, 쌈 나면 재판해 주지. 아, 개간 사업만 해도 그렇지, 품삯이야 쌀 됫박이라고 하지만 일 없을 때 놀면 그거나마 어디서 생기겠어? 그것만 해도 강 진사는 한사코 다른 동네 사람은 시킬 생각도 안하시잖아?

다 사탕발림이지, 그놈의 꿍꿍이속을 우리가 어찌 알겠노!

개간 사업은 작년 봄부터 시작됐다. 저수지를 끼고 고내곡재 쪽으로 가다 보면 잔솔이 듬성듬성 자라고 있는 야산이 많았다. 그 야산을 갈 아엎어 밭으로 만드는 작업엔 남녀노소 누구든 참가했다. 품삯은 일의 성과에 따라서였다.

샀다지?

아무렴, 안 사고야 그런 큰 사업을 하는데 면이나 군에서 놔 두겠남?

얼마에?

그거야 모르지. 국유지였다니까 금새야 뻔한 거지. 다 개간하면 만여 평 될걸.

만 평이 뭐야, 지금까지 개간된 것만도 그리 된다는데…….

작업 감독은 강 진사의 외아들 진만 씨였다. 진만 씨는 형철이가 학교에 입학할 때만 해도 동네보다 타처에 나가 있는 일이 많았다. 속을 못 차린다고 했다.

뭐가 부러워서, 라고 어머니는 말했었다.

뭐가 부러워서 맨날 술타령에 계집질로 나돌까. 조강지처도 그만하면 내놀 만한 인물인데…….

모르면 면장질 말아!

아버진 대뜸 소리부터 질렀다.

부러운 게 없으니까 그 짓도 하고 돌아다니지. 계집이란 저 새맛이라.

동네에서야 그만하면 행실 바른데, 괜히 소문만 떠도는 게 아닐지 몰라.

행실이 바를지 어떨지는 두고 봐야지.

아, 그런 일이야 강 진사가 보통 엄한 분여? 아무리 외아들이지만 계집질 들켰다가는 무릎뼈 성하지 못할걸.

유달리 강 진사는 연애질에 엄했다. 과부나 색시가 애를 배면 어김없이 치수 형처럼 멍석말이로 쫓겨났다. 강씨 씨족이든 타성받이든 그것만은 눈감아 넘기지 못하는 성미였다.

누나!

응.

전도사님은 어째서 강씨를 싫어하면서도 개간하는 덴 나가실까?

그거야 교인들을 위해서지. 예배당 일 때문에 교인들이 일 안 나가 봐라. 품삯 못 받으니까 손해잖아.

그래서 전도사님이 앞장서시는 거구나.

전도사님은…….

누나는 조용히 미소지었다.

우리 마을을 위해서 하나님이 특별히 보내신 분이란다.

하루 종일 자갈을 골라내고 땅을 일구며 흙먼지를 뒤집어썼지만, 누나의 미소는 꽃보다 아름다웠다. 누나는 괭이의 날을 닦았다. 전도사님의 괭이는 새것이었지만, 누나의 괭이는 하얗게 깎인 게 칼날 같았다.

이쁘다!

뭐가, 괭이가?

아니, 누나 말야.

얘는…….

눈을 흘기며 돌아서는 누나의 두 볼은 잘 익은 능금이었다.

능금을 실컷 먹어 봤음…….

먹어 볼 수 있지.

전도사님은 말했다.

어떻게요?

사 오면 되지.

돈이 없는걸요.

이제 곧 잘살게 된다.

전도사님은 내일 아침엔 해가 뜬다고 말하는 것처럼 태평한 얼굴이었다.

정말이라니까.

우리도요?

마을 사람 모두가.

거짓말!

예배당만 열심히 다녀라. 하나님께선 결코 거짓말을 안하신다.

하나씩 둘씩 아이들이 예배당 안으로 모여들었다. 전도사는 노래를 아주 잘했다. 아이들은 찬송가를 군가처럼 씩씩하게 불렀다. 양지바른 뒤뜰에 앉으면 옛날얘기도 했다. 전도사의 얘기 솜씨 일품이었다. 끝날 때까지 우리들은 대개 오줌도 참았다.

강씨네 애들은 오지 않았다. 강씨네 어른들도 오지 않았다. 어른들이 예배당 옆을 지나칠 때 헛기침을 날리고 곁눈질을 보내는 것처럼 형철이 패거린 멀리서 팔매질이나 주먹감자를 먹였다. 돌멩이는 예배당 담장에도 이르지 못했다.

난쟁이!

돌팔매보다는 소리가 먼저 왔다.

난쟁이!

형철이의 손나팔 속엔 언제나 난쟁이만 준비되어 있었다.

쟤들은, 하고 전도사는 차갑게 한번 웃었다.

니네들이 부러운 거야.

그치만 함께 놀아 줄 필요 없다.

어째서요, 전도사님?

그럼 말이다. 형철이 말 되는 게 재미있니?

아뇨. 우리들은 사실 기수가 되고 싶어요!

이구동성으로 아이들의 입에선 생각도 못했던 말들이 잘도 터져 나왔다.

기수가 되고 싶다니까요!

조금만 기다리면 형철이가 니네들한테 말이 돼 주겠다고 할 거야.

정말이세요?

정말이지.

우리들은 놀라서 입을 다물었다. 예배당 안에서만은 내가 대장이었다. 전도사는 나한테만 특별히 잘했다. 뽈필통도 사다 주고 운동화까지 사다 주었다.

애들을 몰고 가서 형철일 한번 두들겨 줄래?

자, 자신 없어요.

형철인 너보다 기운이 센 게 아니야. 언제든 용기가 나거든 해 보렴. 그럼 읍내로 중학교까지 보내 줄게.

읍내 중학교는 우리들에겐 꿈의 전부였다. 그러나 나는 용기를 내지 못했다. 감히 형철이한테…… 나는 오금이 저렸다. 형철이 패와 따로따로 노는 것조차 겁이 났다.

누나!

응.

전도사님이 셀까, 강 진사가 셀까?

애도 참!

내가 셀까, 형철이가 셀까?

애도 참…….

누나는 차츰 전도사 말만 나오면 살짝살짝 낯을 붉혔다. 장마철이 왔다.

3

밤이면 밤마다 비가 내렸다. 바람 한번 불면 미루나무 잔가지들이 찢겨져 나가고, 뇌성 한번 치면 오래 묵은 지붕들이 한 치씩 내려앉았다. 어둠은 속 깊은 수렁과 마찬가지였다. 마을은 수렁 속에 한없이 가라앉았다.

비오는 밤이면 여우가 내려와 무덤을 파먹는 거래.

누나의 수틀 속엔 덩시렇게 달이 떠올랐다.

달을 다 끝내면 뭘 놓을 거야?

파먹힌 무덤에선 원한 서린 귀신이 네 발로 걸어나온대.

소나무를 놓을 거야, 학 먼저 할 거야?

귀신은 울면서 자기가 살던 마을로 내려온대.

안 무서워!

나는 탁 하고 방문을 열며 소리쳤다.

아무리 그래 봐도 난 하나 안 무섭단 말야!

여우 울음은 들리지 않았다. 빗소리가 여우 울음이 되었다.

안 무서워, 안 무서워.

그러면서 나는 잠들었다. 마루 건너 전도사 방에는 여간해서 불이 꺼지지 않았다.

언제든 용기가 나면 해 보렴. 읍내로 중학교를 보내 줄게.

용기는 나지 않았다. 특히 잠자다 변이라도 마려우면 지랄이었다. 냄새 잘 맡는 누나가 꼭꼭 요깅을 마루 밑으로 내려놓고 잠들기 때문이었다.

누나, 요강 좀 들여놓고 자.

안 돼.

무섭단 말야.

마루까지가 뭘 무섭니, 남자애가 용기도 없이……

이래저래 용기가 없어서 나는 풀이 죽었다. 잠에서 깼을 땐 어둠이 제일 먼저 달려들었다. 문을 열자 바람이 마중 나오고 마루로 내려섰을 때 비로소 빗소리가 들렸다. 나는 더듬더듬 요강을 찾았다. 무슨 소리가 마당 쪽에서 났다. 요강을 거머쥐고 고꾸라질 듯 방 안으로 들어왔다. 오줌 줄기를 뽑아 내다 보니까 어라, 누나가 보이지 않았다. 방문을 다시 살짝 열었다. 웅얼웅얼하는 소리가 전도사 방에서 들리더니 반짝 창호지가 밝아졌다. 나는 얼른 이불 속으로 들어와 눈을 감았다. 누나의 발소리가 가까워졌다. 죽일 대로 다 죽인 아주 낮은 소리였다.

누나, 전도사님은 한밤중에도 밥을 먹나? 아침에 나는 물었다.

아니.

정말?

정말.

나는 입을 다물었다. 별일이구나. 밥상을 들고 누나는 여전히 전도사 방으로 들어갔다. 한참씩 나오지 않을 때도 있었다.

전도사님은 하나님을 직접 보셨단다.

언제?

우리 동네 오기 직전에.

시선은 수틀에 가 있지만 누나는 실상 아무것도 보고 있지 않다는 것을 단박에 알았다.

밤새 꿇어앉아 기도를 드리셨더니 새벽에 그리스도가 오셨다지 뭐니? 걷지도 않았는데 가깝게 와졌다는 거야. 그리곤 전도사님 머리에 손을 얹으며 그러시더래.

뭐라고?

이제 곧 우리 마을을 향해 떠나라고.

쳇, 누가 그걸 몰라! 그런 이야긴 동네 사람이면 이미 다 알고 있었다. 내게는 단지 용기만이 문제였다!

철중아!

응.

우리…… 우리 말야. 나는 침을 한번 꼴깍 삼켰다.

우리 뭐야?

저기 말이지, 우리…… 형철이하고 한번 붙을까?

고갯마루에 척 올라서는 기분으로 말을 쏟아 놓고 나니까 이상하게 용기가 생겨났다.

그래, 형철이 한번 패 주자!

그, 그건…….

전도사님이 있잖아, 이 새꺄. 우리 누나도 있고…….

니네 누나 있음 뭘 해?

짜아식, 몰라, 임마!

나는 주먹을 불끈 쥐었다. 붙고 보니 싱거웠다. 고개를 숙이고 기차처럼 달려가니까 형철인 단숨에 발랑 뒤집어졌다. 나는 나뭇가지를 휙 낚아챘다. 노랗게 질린 형철이가 두어 발짝 뒷걸음질하더니 잽싸게 돌아서서 뛰기 시작했다. 저만큼 뒤에 서서 눈치만 살피던 철중이가 대뜸 돌멩이 하나를 날려 보냈다.

맞았다.

찔끗 시선을 내리깔며 칠용이는 소곤거렸다.

어떡하지?

뭘?

강 진사가 가만 있지 않을 거야.

그러게, 형철이 아버지도······.

형철이 아버진 자식아, 여기 없잖아!

장마철이 되면서부터 형철이 아버지 진만 씨는 아예 개간지에서 살다시피 하였다. 움막을 하나 지어 놓고 먹고 자고 한다는 것이었다. 작년 개간한 곳에 과일나무도 심은데다가, 앞으로 한두 달 후면 나머지 개간도 완전히 끝날 거라고 소문이 돌았다.

그래도 머슴이 매일 밥을 날라다 준다더라.

건 그래.

형철이 자식 거기까지 쫓아갈는지도 몰라.

가 보자.

싫어.

　새끼, 누가 형철이 아버지한테 간댔어? 개간지를 가야 전도사님을 만날 거 아냐?

　그래 참, 전도사님!

　전도사님은 비가 오는 날도 꼭꼭 개간지에 가서 일했다. 아버지들은 대개 들로 빠졌고, 어머니와 누나들은 전도사를 따라갔다. 어찌 된 노릇인지 전도사가 오고부터 강 진사는 거의 고샅에 모습을 나타내지 않았다. 날이 갈수록 교인들이 늘어 가고 쩰그랑쩰그랑 깨진 종은 아침저녁으로 울고, 전도사는 이 고샅 저 고샅 쉴새없이 드나들어도 강 진사는 도무지 가타부타 의중을 나타내지 않았다. 이따금 강씨네 사람들 중에 애꿎은 시비를 걸어올 때도 있다.

　그러나 그것조차 가벼운 말다툼 이상으론 확대되지 않았다.

　조화속여. 어째 강씨 씨족들이 슬슬 눈치만 보고 있다.

앞뒤 살펴보고 있는 게지. 직접적인 시비를 피하는 거야. 강 진사가 가만히 있으니까 그런 거 아니겠어?

시비를 못하게 진사 어른이 단도리를 해 놨대.

세상 오래 살고 볼 일여. 강씨네가 이렇게 자중해 있기도 첨일걸.

암, 조용하니까 더 불안하구먼.

그건 그래. 살얼음판이지 뭐야. 끝내 그냥저냥 말 강 진사 성미도 아니겠고, 터지면 크게 터질 거야.

터져 봤자지 뭐. 예배당 나온 것밖에 무슨 죄가 있남?

마을은 말없는 가운데 세 패로 나눠졌다. 강씨네와, 교인과, 숨죽이고 돼 가는 꼴만 보자는 관망자가 그거였다. 강씨네한테서 그나마 소작을 부쳐먹고 사는 많은 사람들은 마음이야 어디에 있든 관망자로 물러앉지 않을 수 없었다. 개간지에선 세 패가 모두 모여 일했다. 때때로 강 진사가 개간지로 나올 때도 예전하곤 사뭇 달랐다. 멀찍이 서서 한동안 바라보다가 말없이 돌아서는 게 보통이었다.

강 진사님도 인제 늙었어.

어머니는 끌끌 혀부터 찼다.

글쎄, 지팡이 짚고 돌아서는 그 양반 뒷모습을 보니까 웬일인지 쓸쓸해 뵈는 게……

뒈질 때가 오면 다 그런 거지.

아버진 공연히 강 진사에게 이를 갈았다. 전에 없던 일이었다.

무슨 말솜씨가 그래?

솜씨 같은 소리 하고 자빠졌네. 진사고 나발이고 다 소용없단 말이야.

그래도 그게 아냐. 예배당에서도 다 말들 하더라고. 우리 동네에서야 뭐니뭐니 해도 진사 어른이지.

움막에서 살다시피 한다는 진만 씨는 언제나 유들유들 잘 웃었다. 전도사가 왔든, 예배당 종이 울리든, 나하곤 아무 상관도 없다는 태도였다.

아버님께서 하도 엄히 일러서 별수없이 예서 잠까지 자지만…….

밭두렁에 앉아 막걸리 사발만 비워 내며 진만 씨는 곧잘 그렇게 말했다.

동네가 어떻게 돌아가든지 그거야 아버님 일이지 난 모른다니까.

진만 씨는 여자들 속에 섞여 음흉한 농을 잘했다.

서천댁, 일로 와서 술 한잔 하지.

못해요.

과부인 서천댁은 말은 못해요지만 곧잘 넙죽넙죽 받아 먹었다.

육자배기 한 가락 뽑아 보지.

육자배긴 용칠이 어머니가 잘 뽑았다. 개간지에선 그래도 심심찮게 뽑아 올리는 육자배기 가락에 강씨와 교인들 사이의 서먹서먹한 분위기가 많이 녹아들었다.

성순아, 너는 우째 그리 곱냐?

아따, 나이가 몇인데 색시 눈독 들여요?

취한 서천댁이 받았다. 진만 씨는 실눈을 뜨고 풀썩 웃었다.

눈독이라니?

진사 양반한테 다리뼈 분질러져요.

허허 참.

성순이는 누나 이름이었다. 황혼이 되면 제방 위에는 괭이나 삽을 든 무리들이 두 패로 나뉘어 걸어왔다. 전도사를 중심으로 한 교인들이 앞장을 섰고 강씨 씨족들이 뒤를 따라왔다. 그도 저도 아닌 사람들은 삼삼오오 뿔뿔이 흩어져 돌아왔다. 저수지 수면은 황혼의 잔영을 받고 한결 높아 보이고, 고내곡재는 그들의 머리 위에 아득히 멀었다.

성순아, 너 아까 진만 씨한테 술 따랐냐?

전도사님이 자꾸 괜찮다고 밀어붙이는데 어쩔 수가 있어야지. 어머니도 봤었잖아?

그래, 별일이다. 가만히 보면 전도사님은 틈만 나면 너를 진만 씨 있는 데로 데리고 가고 싶은 눈치니, 그 속 알다가도 모르겠다.

글쎄 말야, 어머니.

처녀 총각 사이라면 붙여 줄 생각인가도 하겠지만.

망측스러운 소리.

뭔가 전도사님은 딴맘이 있는 게지. 보통 분이 아니시니까.

누나는 살짝 고개를 숙였다.

어머니는 귓부리가 발갛게 달아오른 누나의 옆 모습을 곁눈질했다.

세상에 전도사님 같은 분은 없을 거라.

건 그래, 어머니.

전도사님 시키는 건 뭐든지 들어야 한다. 알겠지?

누나는 고개만 끄덕끄덕했다. 우리들은 곧잘 수문 있는 데까지 마중을 나갔다.

누나!

응.

팼다!

패다니?

형철이 말야.

애는…….

돌멩이도 던졌다!

그럼 못써요.

전도사님이 하랬어.

전도사님이?

누나의 얼굴에 그늘이 졌다.

괜찮을까?

낼 아침 진사님 댁 머슴들이 너를 잡으러 올 거야.

아침에 잡으러 온 건 내가 아니라 전도사였다. 나는 윗방에 숨어 문 구멍에 눈알만 내밀었다.

갑시다!

강씨네 청년들 중의 하나가 말했다. 전도사는 순순히 따라나갔다. 예배당에 사람들이 하나 둘 모여들었다. 개간지에도 가지 않고 전도사를 기다렸다.

이러지 말고 우리도 갑시다!

아녜요. 전도사님이 무슨 일 때문에 불려가셨는지도 모르잖아요?

전도사는 점심때가 거의 다 돼서 왔다. 역시 멀쩡했다.

교우님들!

전도사는 말했다.

오늘 나는 한 가지 중대한 사실을 발표하겠습니다. 그 동안 2년간이나 여러분은 개간지에서 땀 흘려 일했습니다. 일한 대가로 여러분이 받은 것은 쌀 몇 말이 전부였습니다.

낮았지만 전도사의 말씨는 또박또박 떨어지며 절실하게 울려 나왔다.

그 땅은 국유집니다. 우리가 땀 흘려 개간한 땅을 강 진사는 혼자 가질 배짱을 하고 있습니다. 세상에 이보다 부당한 일이 또 어있습니까? 그 동안 나는 여러 가지로 면밀하게 알아본 결과, 국유지는 아직도 국유지라는 확실한 확인을 했습니다. 강 진사는 우선 면과 군에다 뇌물을 써 놓고 일을 착수했던 겁니다. 이제 개간이 다 끝나가니까 불하를 정식으로 받으려고 서류를 꾸며 냈지만 쉽게 성사되진 않을 겁니다. 모든 일은 제게 맡겨 놓으시면 됩니다. 여러분은 그저 서명만 하십시오. 우리 마을 공동의 땅이 되도록 하기 위해서 서명만 하십시오……

전도사님 말씀이 무슨 뜻이니? 칠용이가 물었다.

강 진사네 땅을 뺏자는 얘기니?

아냐, 이 병신아! 나는 대답했다.

아직 강 진사네 땅이 안 됐다잖아?

국유지가 뭐니?

몰라.

우리 땅으로 뺏을 수 있을까?

뺏는 게 아니라니까.

그럼?

몰라. 아무튼 전도사님 말씀은 하나님 말과 똑같댔어.

강 진사네하고 쌈해야 되겠구나.

그래, 저런 것 보고 선전포고라 한댔어.

그 때 전도사가 강단을 탕 하고 치는 소리가 들려왔다.

뺏는 게 아닙니다. 우리 것을 찾자는 거지요. 그 동안 이 일을 위해 도청만도 나는 다섯 번이나 갔다 왔습니다. 자, 보십시오. 이것이 그 땅의 등기 사본이라는 겁니다……

등기 사본이 뭐니?

또 칠용이가 물었다.

몰라. 하여튼 전도사님이 하시는 일은 하나님이 하시는 것과 마찬가지랬잖아.

누나의 얼굴에 유독 그늘이 짙게 드리우고 먼산을 바라보며 한숨 쉬는 버릇이 생긴 건 바로 그 무렵부터였다.

4

전도사가 개간한 땅을 마을 전체의 이름으로 불하받아야 된다고 선언한 뒤 마을의 분위기는 그야말로 차갑게 얼어붙었다. 개간지에서의 육자배기도 사라졌고, 유들유들 잘 웃던 진만 씨도 침묵으로 작업을 시작했다. 고샅에서 강씨네와 교인 쪽이 마주치면 서로 얼굴을 돌리고 지나갔다.

전도사는 전보다 훨씬 외출이 잦아졌다. 도청에도 가고 군청에도 간다는 것이었다. 강 진사는 여전히 두문불출이었다. 몸져누워 있다고도 했지만 확인되지는 않았다. 교인들은 개간 사업에 하루도 빠지지 않았다. 강씨네 쪽에서도 마찬가지였다. 마치 작업량에 따라 승부가 결정되기라도 하듯이 팽팽하게 당겨진 분위기 속에서 일의 진척은 훨씬 더 빨라지고 있었다. 온갖 소문들이 하루살이처럼 날아다녔다. 밤만 되면 어른들은 이 구석 저 구석에 수군거리고 다녔다.

전도사님 말야, 옛날엔 우리 동네에 살았었대. 어느 날 칠용이가 뛰어와서 속삭였다.

누가 그러대?

우리 엄마 아버지가 서로 얘기하는 걸 들었어.

짜식, 그럼 왜 진즉에 어른들이 몰라봤니?

너무 어렸을 적 마을을 떠났기 때문이라드라. 우리보다도 더 어려서 쫓겨났었대.

쫓겨나?

그렇다니까. 전도사님은 쫓겨난 거래.

왜 쫓겨나?

훔쳤다던데. 강 진사네 헛간 있잖아? 거기서 감자를 훔쳐 내다 들켰나 봐. 전도사님 어머니가 죽지 않을 만큼 매맞고 쫓겨났었대.

전도사님 아버지는?

아버지는 없었고 엄마하고 둘이만 살았다드라.

공터엔 칠용이와 나뿐이었다. 저수지 제방 위엔 개간지에 갔던 어른들이 한 무더기씩 돌아오고 있었다.

누나, 전도사님이 우리 동네에서 쫓겨났다는 소문 사실이야?

어머머, 누가 그러든?

칠용이가.

그런 말 함 못 써. 전도사님은 하나님 명령대로 동네에 온 거야. 누나도 그 외엔 아무것도 몰라. 너 그런 말 누구한테도 해선 안 된다.

전도사님 어머니는 쫓겨나던 날 저기 제방 위에서 죽었다드라. 칠용이는 또 말했다.

강 진사네 머슴들이 주워다가 독작 구덩이에 묻었대. 어린 전도사님은 흔직 없이 사라지고 말야.

너 이자식.

나는 괜히 칠용이를 향해 눈알을 부라렸다.

한 번만 더 그런 소릴 하면 죽여 버릴 거야!

그래도 칠용이는 나만 보면 말을 못 참았다.

느네 누나 전도사님하고 수문 뒤에 있드라.

언제?

어젯밤에. 혹시…….

혹시 뭐야, 이 새꺄!

칠용이는 더이상 아무 말도 못했다. 전도사님은 군청이나 도청에 갈 땐 꼭꼭 아버지를 데리고 다녔다. 아버지는 거의 노름에 손을 끊었다.

예배당엘 열심히 나오는 것도 아닌데 술도 안 먹었다. 틈만 있으면 골방에 건너가 무슨 얘긴지 전도사님과 오래오래 속삭이곤 했다.

우리도 이제 떵떵거리고 살아 봐야지.

아버지는 틈만 있으면 그런 말을 했다. 그럴 때 아버지의 눈에선 칼끝 같은 서늘함, 어쩌면 살기라고도 표현해야 알맞을 그런 느낌이 내 숨통을 죄어 놓기 일쑤였다.

누나가 머리칼이 헝클어지고 치마말기가 터진 채 겁에 질린 표정으로 집에 돌아온 것은 가을이었다. 벼베기에 나갔던 식구들이 막 저녁 식사를 끝낸 저녁이었다. 진만 씨에게 그렇게 당했다는 거였다. 예배당의 깨진 종이 악을 쓰고 울어 댔다.

갑시다, 가서 진만이 그 사람을 당장에 붙잡아다 멍석말이를 시킵시다! 칠용이 아버지가 흥분해서 소리쳤다.

지금 강씨네와 이런 식으로 싸운다는 건 하나도 이 될 게 없습니다. 그 동안 여러분과 내가 노력한 모든 일이 수포로 돌아가기 쉽습니다. 왼뺨을 때리거든 오른쪽 뺨도 내주라고 주께서 말씀하셨습니다. 부디 흥분을 가라앉히십시오. 조용히 있어야 진실로 우리가 이길 수 있습니다. 성순 양은 십자가를 진 것입니다…….

우리들은 들로 이삭을 주우러 다녔다. 돌아다니다 보면 곧잘 형철이 패거리와 만나는 일이 많았다. 우리들은 멀찍이 떨어진 채 돌팔매질을 한참씩 하기가 일쑤였다.

난쟁이 전도사하고 느네 누나하고 연애질한다드라.

형철인 손나팔을 하고 소리질렀다.

형철이 느네 이비진 짐승이나 다름없드라. 성재네 누나를 강제로 붙을려고 했대!

철중이가 맞받았다. 나는 속이 상해서 애꿎은 철중이의 엉덩이를 향해 발길질을 날렸다.

한 번만 더 그런 소리 했단 봐라, 대갈통을 까 놓을 테니까.

나는 형철이 아버지 욕할려고 그런 거지 느네 누나 욕하는 게 아냐.

그래도 이 새끼가 까불고 있어!

철중이는 발로 채인 뱃가죽을 움켜쥐고 논두렁에 주저앉았다. 누나는 개간지에 나가지 않았다. 어머니는 한숨만 쉬었다. 밥도 잘 먹지 않았다. 얼굴에 기미가 꼈다. 누나도 끼고 어머니도 꼈다. 살기 띤 눈빛으로 바쁘게 돌아다니는 것은 아버지뿐이었다.

군청에 이 주사가 목이 달아난다는구먼.

개간지 땜에?

물론이지. 아, 강 진사한테 뇌물을 먹고 국유지를 개간하는 걸 눈감아 줬다지 뭔가?

저런! 그걸 도에선 어떻게 알고?

전도사님이 지사 앞에 놓고 낱낱이 따져 묻더래요. 도에선 개간지 일 땜에 시끌시끌하다는구먼. 곧 결정이 나긴 날 모양인데…….

어떻게 결정이 날까?

그야 뻔하지 뭐. 전도사님이 어디 예삿분이어야 말이지. 한번 맘먹으면 못하시는 일이 없대. 더구나 강 진사는 아파 누워 있고 진만 씨가 도청이다, 군청이다, 몇 번 나다니긴 한 모양인데 애당초 이치에 닿지 않으니 될 법이나 한 소린감?

전도사님 때문에 우리도 살게 되겠구먼.

암, 살게 되고말고.

교인들에게 전도사는 신이나 다름없었다. 전도사가 시키는 일이라면 뭐든지 했고, 전도사가 참으라면 뭐든지 참았다. 술취한 강씨 청년들이 교인 한 명에게 물매를 내렸을 때도 모든 사람들은 전도사의 한 마디에

고스란히 참았다.

나한테 맡겨 놓으십시오. 여러분은 그저 가만히 계시면 됩니다. 때리는 일이 또 있거든 그냥 맞아 두십시오. 때가 오면 분한 여러분의 마음은 다 풀리게 될 겁니다.

다음 날 물매를 준 마을의 강씨 청년은 순사들한테 모조리 붙들려 가게 되었다. 전도사님이 그렇게 되도록 만들었다는 거였다.

어쩜 그럴 수가!

잠이 깼을 때 나는 전도사 방에서 경악하는 어머니의 목소리를 들었다.

전도사님…….

어머니는 말을 잇지 못하고 우시는 것 같았다.

주께선 기꺼이 십자가에 못박혀 돌아가셨습니다…….

전도사님의 말은 낮아서 그것밖에 들리지 않았다.

아, 가만있지 못해!

아버지가 빽 하고 소리질렀다.

성순이가 예수처럼 되면야 얼마나 좋은 일엿!

저녁에 나는 꿈을 꾸었다. 누나가 십자가에 못박히는 꿈이었다. 전도사님이 커다란 망치로 못을 박고 있었다. 아버지는 짝짝짝 박수를 치고 어머니는 허옇게 거품을 물며 까무라쳤다.

성재야, 넌 훌륭한 사람이 될 거야.

전도사는 곧잘 나를 흥분시켰다.

중학교·고등학교·대학까지 다니면 대통령도 될 수 있지.

그치만 우리 동네에서 대학 다닌 사람은 아무도 없는걸요.

내가 보내 주지. 암, 보내 주고말고.

나는 대학이라는 말 때문에 빈번이 잠을 이루지 못했다. 건넌마을 대학생이 방학 때 제방 위를 지나서 자기 동네로 갈 때 보면 반질반질한 구두를 신고 있었다.

　나도 구두 한번 신어 봤음…….

　대학생이 되면 무슨 소원이든지 다 이루어진단다.

　전도사는 조용하게 웃으며 내 머리를 쓰다듬었다.

5

　누나하고 형철이 아버지가 밤중에 밀밭에서 나오는 걸 봤니 안 봤니?

　전도사가 다시 한 번 물었다.

　저…….

　저는 빼고.

　예. 봐, 봤습니다.

　그렇게 더듬거리면 안 된다고 했잖아!

　전도사가 미간을 찌푸렸다. 썰매를 타는 아이들이 저만큼 수문 쪽에서 손을 흔들었다. 성동 벌판을 숨 돌릴 사이 없이 달려온 바람이 전도사와 내가 쭈그려앉은 제방 위를 지나가고 있었다. 판자쪽은 토시락토시락 잘도 탔다. 불꽃은 잘 보이지 않았으나 무릎과 손바닥은 열기 때문에 근질근질해 왔다.

　첨부터 다시 시작하자.

　전도사는 불 속으로 판자쪽을 하나 더 집어던지며 말했다.

　거짓말을 한다고 생각하면 안 돼. 네가 봤다고 말하는 일은 실지 일어났으니까. 그리고 중학교를 잊지 마라. 고등학교도, 대학교도 잊지 마라. 잘만 하면 모든 것이 이루어진다. 누나에게도 결코 나쁜 일 아니야.

　전도사의 눈은 반짝반짝 타오르는 듯했다. 나는 괜히 목을 움츠렸다.

유별나게 눈이 많이 내리는 겨울이었다. 고내곡재는 항상 눈이 쌓여 있고 저수지 물이 꽁꽁 얼어붙었다. 우리들은 밥숟갈만 놓으면 저수지로 달려나갔다. 전도사는 썰매를 잘 만들었다. 판자 두 쪽에 받침대를 하고 굵은 철사로 날을 세워 박기까지 반 시간도 걸리지 않았다.

무릎을 이렇게 굴려야 잘 나가지.

제방 위까지 따라와서 전도사는 썰매 타는 법도 가르쳤다.

전도사는 뭐든지 잘하는구나. 칠용이는 감탄했다.

하나님이 썰매 타는 것도 가르쳐 주셨다잖아?

우리도 하나님이 가르쳐 줬슈…….

자식, 전도사님한테 배우면 곧 하나님한테 배우는 거나 마찬가지랬잖아!

가을 이후 개간지 작업은 쉬고 있었다. 날씨가 추워져서가 아니라 군에서 나와 일을 못하게 했기 때문이었다. 금방 승부가 날 것 같으면서도 개간지 불하에 대한 관청의 결정은 하루하루 뒤로 미루어지고 있는 모양이었다. 어른들이 전도사의 눈치만 초조하게 살피는 게 역력했다. 이제 곧 섣달 그믐이었다.

전도사는 섣달 그믐 날짜에 색연필로 동그라미를 쳤다.

너는 반드시 중학교에 들어가게 된다. 그것이 하나님의 뜻이다.

전도사가 다시 내 머리를 쓰다듬었다.

그럼 묻겠다. 가을에 네 누나를 진만 씨가 끌고 밀밭으로 들어가는 걸 봤니, 안 봤니?

봐, 봤습니다.

봤니, 안 봤니?

봤습니다.

거짓말이지?

아녜요!

나는 거의 악을 썼다.

아니라니까요!

거짓말 같은데? 전도사나 아버지가 그렇게 말하라고 시키지 않았니?

아뇨. 정말이에요. 정말 봤어요.

몇 번?

두 번요.

언제?

밤에요. 가을에요. 진짜로 봤다니까요!

나는 정말 본 거 같은 생각이 들었다. 며칠 전부터 전도사는 이렇게 똑같은 질문을 나에게 수없이 반복하고 있었다.

네 누나가 틀림없었지?

그래요.

진만 씨가 억지로 끌고 갔지?

그렇다니까요.

하나님 앞에 맹세할 수도 있지?

맹세할 수 있어요!

좋아!

전도사는 활짝 웃으며 내 손을 잡았다.

아주 잘 대답했다. 너야말로 진실한 하나님의 종이야. 이제 머지않아 뭐든지 네 소원은 이루어질 것이다……

섣달 그믐날 밤이 왔다. 이 날따라 예배당 안엔 아이들이 들어가지 못하도록 되어 있었다. 어른들은 찬송가도 부르지 않고 오랫동안 기도 만 하는 것 같았다. 전도사의 가라앉은 목소리도 들려왔다. 하늘엔 별 하나 뜨지 않고 그 대신 진눈깨비가 뿌려지고 있었다.

더이상 참을 수 없어요!

갑자기 아버지의 쨍 하는 쇳소리가 났다.

옳소.

누군가가 대답했다. 웅성거리는 소리가 났다.

전도사님은 우리 마을을 구제하러 오신 분이지만 이번만은 뒤로 물러계십시오. 자, 우리끼리라도 갑시다!

예배당 문이 벌컥벌컥 열리며 어른들이 하얗게 쏟아져 나왔다. 언제 준비했는지 손에 횃불을 들고 있었다. 살기가 등등했다.

성재야.

칠용이 아버지가 나를 불렀다. 사람들이 내 앞을 빙 둘러쌌다. 나는 덜컥 겁이 나서 한 발 뒤로 물러났다.

물러날 것 없다. 너를 해칠 사람은 아무도 없으니까.

부드러운 전도사의 음성이 어디선가 내 귓전으로 날아왔다.

너, 진만 씨가 니 누나를 밀밭으로 끌고 들어가는 걸 봤다며?

사람들이 일제히 침묵 속에서 내 입만 바라보았다.

봤습니다.

정말 봤어?

정말이에요. 정말 봤어요!

나는 소리질렀다. 어른들은 더이상 아무것도 묻지 않았다. 어디서 붙잡아 왔는지 아버지가 누나를 움켜쥐고 맨 앞에서 걸어갔다. 수많은 사람들이 횃불에 얼굴을 번뜩번뜩 드러내며 뒤를 따르고 있었다.

진만이놈 나와라!

강 진사네 넓은 안마당에 이르자, 아비지는 누나를 댓돌 쪽으로 우악스럽게 밀어붙이며 소리쳤다. 겁에 질린 누나가 엎드린 채 땅바닥에 이마를 대고 있었다. 진눈깨비는 줄기차게 내렸다. 한동안 진만 씨 집 안에선 잠잠했다. 사람들이 침묵 속에서 안방을 향해 한 발씩 다가들고 있었다. 강씨들은 감히 나서지 못했다. 담장 너머로 눈알을 내놓고 숨을 죽이고 있었다.

나오시오!

칠용이 아버지가 마루끝을 몽둥이로 한 번 세게 내리쳤다. 어둠이 놀라서 흠칫 물러앉는 것 같았다. 이 때였다. 안방 문이 열리며 마루에 모습을 나타낸 것은 진만 씨가 아니라 강 진사였다.

하얗게 도포까지 떨쳐 입은 단아한 차림새였다.

진만이를 내놓으십시오!

무슨 일들인가?

강 진사의 수염 끝이 파르르 떨리는 것 같았다.

간음을 했습니다!

간음을——강 진사의 시선이 누나한테 떨어지더니 이내 이마를 짚고 마루 기둥에 상체를 기댔다. 순간 건넌방 문이 벌컥 열리며 백짓장처럼 질린 진만 씨가 모습을 나타냈다. 그는 털썩 강 진사 앞에 무릎을 꿇으며 주저앉았다.

이건 음모예요. 전 성순이를 범하지 않았어요. 정말입니다, 아버님!

이런 찢어죽일 놈. 봐라, 이년이 애를 뱄어. 이래도 네놈이……

누나의 비명 소리가 솟아올랐다. 아버지가 달려들어 누나의 치마를 찢어내렸던 것이다. 어른거리는 횃불 속에 누나의 아랫배가 잠시 동안 말쑥하게 드러났다. 사람들이 제자리에 선 채 목덜미를 한 번씩 부르르 떨었다. 나는 꼴깍 마른 침을 삼키곤 눈을 크게 떴다. 누나의 아랫배는 맨살이 아니었다. 하얀 붕대가 친친 동여매져 있었다.

진, 진만이 이노옴…… 이놈을 멍석말이시키고 동네에서…… 내쫓아라!

풀썩 주저앉은 강 진사가 신음하듯 한 마디 뱉곤 이내 거품을 물며 나자빠졌다. 사람들이 짐승처럼 달려들어 진만 씨를 마당으로 팽개쳤다. 눈바람이 악을 쓰며 불고 있었다. 저수지는 한꺼번에 얼음이 수만 장으로 쪼개지며 허옇게 뒤집히는 물줄기가 떠올랐다. 아아, 저수지 수면은 모든 걸 잡아먹고도 아침이 되면 잠잠해질 수 있는 것이다. 온 동네에서 일제히 개가 짖기 시작했다.

6

멍석말이에 피투성이되어 쫓겨간 진만 씨는 다시 동네에 돌아오지 않았다. 강 진사는 섣달 그믐에서 사흘을 넘기지 못하고 죽었다. 상여도 못 타 보고 제방 위까지 와서 트럭이 어디론가 강 진사의 시체를 싣고 갔다.

썰매타기에 지치면 우리들은 마을 앞 공터에서 말타기를 했다. 가위 바위보로 기수와 말을 정했지만 그것은 하나마나였다.

이번엔 보를 내고 싶은데.

침을 손바닥에 퉤퉤 뱉으며 나는 번번이 암시했고, 강씨네 애들은 눈치껏 주먹을 내밀어서 내 비위를 맞췄다. 어쩌다 말을 제대로 못 듣고 보에 가위라도 내면 내가 들고 있는 나뭇가지가 당장 날아들 걸 훤하게 알고 있었기 때문이다. 나는 정해 놓고 기수가 되었다. 강씨네 애들은 번번이 말 노릇을 했지만 기수가 못 돼 보는 걸 과히 섭섭하게 여기지는 않았다. 왜냐하면 강씨네 애들은 아직 예배당에 나오지 못했으므로.

예배당에 좀 가 보면 안 되니?

형철인 곧잘 물었다.

안 돼, 이 새꺄.

강씨네 애들이 예배당에 다니고 못 다니는 것은 오직 나 혼자 정했다. 한 명, 한 명 예배당에 다녀도 좋다고 허락을 해 둔 다음엔 형철이만 남겨 두리라고 나는 진작에 마음을 먹었었다.

전도사님은 강 진사보다도 더 무섭대. 철중이가 소곤거렸다.

뭐가?

하여튼 더 무섭다던데.

아냐, 이 새꺄. 전도사님이 무서운 건 하나님의 아들이기 때문이랬어.

마을의 모든 일은 전도사가 결정했다. 아직 추운 겨울이었지만 어른들은 한 명도 쉬지 않았다. 예배당을 새로 짓기 때문이다. 얼어터진 손으로 어른들은 매일매일 벽돌을 쌓아올렸다.

봄에 지을 일이지…….

하나님께서 하명하셨다는구먼.

뭐라고?

예배당을 봄이 되기 전에 지으라고.

정말 전도사님은 언제나 하나님을 만날 수 있을까? 난 도무지 믿어지지가 않는다니까.

쉬! 말 함부로 하는 게 아니야. 어서 벽돌이나 더 쌓아!

우리들의 말타기는 추위를 몰랐다. 빤히 건너다뵈는 저수지는 여전히 암회색의 하늘이 내려와 있었다. 빈 제방 위에 누나의 모습이 보였다. 누나는 한참 동안 제방 위에 선 채 움직이지 않았다. 멀리서 얼굴은 윤곽조차 보이지 않았지만, 어쩐지 떨고 있는 것처럼 생각되었다.

어딜 간다니, 느네 누나?

형철이가 중얼거리듯 말했다.

저건 우리 누나가 아냐, 이 새꺄. 우리 누나가 춘데 저수지엔 뭐하러 가니?

몰라. 그치만 아까 동네에서 나갈 땐 느네 누나 같았잖아?

기면 기고 아니면 아니지 같은 건 또 뭐야? 니가 임마, 나보다도 더 우리 누날 잘 아니, 네 눈이 뭐 망원경이니?

내 손에 들린 나뭇가지가 어김없이 형철이의 이마로 날아갔다.

그, 그래. 저건 네 누나가 아냐.

형철인 당장에 풀이 죽었다. 한동안 서 있던 누나가 수문 쪽을 향해 내려가기 시작했다. 처음엔 다리가, 그 다음엔 허리가, 가슴이, 그리고 순식간에 머리까지 제방에 가려 보이지 않았다. 우리들은 침묵했다. 마을은 쥐죽은 듯이 고요하고 어둠이 고내곡재 허리를 타고 슬금슬금 내려오다 저수지 한쪽을 냉큼 잡아먹었다.

밥 먹으러 가자.

자리에서 일어서며 나는 말했다. 어쩐지 가슴이 두근두근해 왔다.

저녁 먹고 또 모여야 되니?

형철이가 조심스럽게 물었다.

아냐. 오늘 밤엔 모이지 마.

예배당에서 깨진 종소리가 들려오기 시작했다. 누나의 모습은 다시 보이지 않았다.

저수지가 잡아먹었다.

뭘?

느네 누나.

누나의 신발이 나란히 저수지 수문 위에 있었다. 봄이 돼서 얼음이 녹아야 누나의 시체가 떠오를 거라고들 했다. 우리들은 곧잘 말타기가 끝나면 저수지로 뛰어가는 게 비릇처럼 되있다.

없는데…….

철중인 암회색의 저수지 수면을 한번 쓱 둘러보고 말했다.

얼음을 깨 볼까?

관 둬!

춥겠다, 느네 누나…….

춥긴 새끼야, 에스키모 사람들은 얼음으로 집도 짓고 산다잖아?

참.

철중이는 씩 웃었다.

얼음집이라니 그거 근사한테…….

식 구

　새벽이 되자 만득 씨는 길례를 재촉하여 어린것을 감싸안도록 했다. 낡아서 해진 군용 담요 속에서 어린것은 막 잠든 듯이 보였다. 숨결이 고르지 못했다. 백짓장처럼 창백해진 피부에 수없이 주름이 가고, 동글동글 부풀어오른 붉은 반점이 볼과 턱주가리에 여러 개였다.

　"워쩔 셈이랴?"

　곁에서 까치댁이 조심스럽게 물었으나 만득 씨는 대답하지 않았다. 어린것을 안고 딸애 길례는 그저 바들바들 떨고 있었다.

　밖에 나서자 새벽바람이 달려들었다. 밤새 추적추적 내리던 가을비는 그쳐 있었으나, 지붕 너머로 내려다보이는 개천엔 검붉은 흙탕물이 현저히 불어나 있었다. 길례를 앞세우고 만득 씨는 둑으로 올라왔다. 둑길은 좌우의 비탈에 슬레이트 지붕의 판잣집들을 거느리고 비좁고 불안정하게 보였으나 아스팔트였다. 비에 씻겨 아스팔트의 까만 질감이 청결해 보였다. 종점 쪽에서 나타는 트럭 한 대가 만득 씨 앞을 지나 둑의 서쪽 끝으로 달려갔다. 분뇨 트럭이었다. 한강의 한자락이 둥 떠 보이는 서쪽 끝엔 시의 분뇨 처리장이 있었다. 그래서 하루 수백 대의 분뇨 트럭이 칙칙한 냄새와 부릉거리는 소음을 뿌리며 판잣집들의 지붕 위로 지나갔고, 둑길이 포장된 것도 바로 그런 까닭에서였다. 둑 위로 완전히 올라서자 회색빛 새벽하늘 아래 D동의 주택가가 동화 속의 도시처럼 아름답게 내려다보였다. 본래 신촌에서부터 도로를 따라 활처럼 휘어져 온 철도의 바깥쪽은 지난봄만 해도 검붉은 황토층의 황무지였다. 그런데 불과 십 개월도 안 되는 사이에 맨션 아파트가 여러 동 올라섰고, 지붕이 넓은 불란서풍의 고급 주택들이 그림같이 들어찼다. 따라서 주택가의 한편에 연이어 있는 이 판자촌의 개천과 분뇨 트럭과 낮은 지붕이 둑 저편 고급 주택가의 잘 단장된 정원, 화려한 건물 외양, 작은 궁전 같은 대문 등과 선명한 명암으로 대비되어 유독 더럽고 지저분한 넝마 꼴이었다. 어쩌다가 밤에 턱이라도 괴고 둑길에 앉으면 만득 씨는 내려다보이는 주택가의 호사스런 야경에 공연히 어린애같이 콧날이 시큰해 올 때도 있었다. 그렇다고 그 곳에 비해 전등도 켜지 않은 판자촌의 상스러운 어둠이 한스럽거나 한 것은 아니었다. 그저 까닭모르는 슬픔이 주택가와 판자촌의 대조적인 명암에서 빗물이 고여 오듯 조금씩 차 올라 전신을 촉촉이 적시는 것이었다.

"여기 쪼매 섰거라, 잉."

만득 씨는 큰 길로 나가는 철로 아래의 굴다리 입구에 길례를 세워 두고 철로 편으로 바싹 당겨 지어진 블록의 가건물 하나를 두드렸다.

"워쩐 일이래유?"

쪽문에서 성긴 머리칼을 한 중년 여인이 얼굴만 내밀며 물었다.

"종덕이 좀 봤으면 쓰겄는디……."

"쬐매 기달려유. 엊그제 고주망태가 돼 갖고 들와 시방 한밤중잉게……."

때맞추어 열차가 지나갔기 때문에 여자의 말소리는 몽땅 잘려나갔다. 쪽문이 닫혔다. 잠시 만득 씨는 멀어져 가는 열차의 진동음을 뒤쫓듯 고개를 꺾고 그냥 서 있었다.

"무신 일여, 새벽부텀?"

허리춤을 부여잡고 하품을 하면서 종덕이가 나타났다. 그는 만득 씨와 고향 친구였다. 미장이여서 막일을 하는 만득 씨보다 좀 나았으나, 살림의 규모는 피장파장이었다. 대개 건축 사업장에서 함께 일할 때도 많았고 그가 일당 삼천 원을 받을 때 만득 씨는 그 반액 정도로 만족하지 않으면 안 되었다. 하지만 미장이보다 막일을 하는 만득 씨 쪽이 쉬는 날이 적었고, 따라서 수입은 별차이가 없었던 것이다.

"돈 좀 꿔 줘야 하겠는디……."

만득 씨는 시선을 내리깔았다. 건너편 가겟집에서 젖먹이가 자지러지게 우는 소리가 들려왔다. 아이고, 이 웬수야. 차라리 뒈져 버려! 아이의 울음을 따라 악을 쓰는 여자의 목소리는 송곳처럼 뾰족하게 갈라져 있었다.

"무신 일인디?"

"애가 밤새 아퍼 갖고 말여……."

만득 씨는 굴다리를 향해 턱짓을 했다. 저만큼 길례가 등을 보이고 돌아서 있는 것을 발견한 종덕이는 단번에 혀를 끌끌 찼다.

"쯔쯧, 복 읎넌 놈은 자식복까징 읎다더니 자네 신세도 어지간하네. 사내놈은 아직 코빼기도 안 보였남?"

"지놈도 사람인디 원젠간 새끼 찾아오것지."

"오긴 뭘 와? 요즘 젊은것들은 똥 누러 갈 때허고 나올 때 맘이 싹 달라진당게!"

만득 씨는 고개를 떨구고 발끝으로 땅을 팠다.

"참, 거 벌렁코 말여……."

기래를 틱 뱉으며 종덕이는 목덜미를 한 번 부르르 떨었다.

"삼십만 원 받었다는구먼."

"그렇게 많이?"

"청부업자허고 집 주인이 반부담씩 혔댜. 사람이 죽었는디 고것도 안 혀 주면 지놈덜도 사람이 아니지."

벌렁코는 공사판에서 곧잘 만나게 되는 목수였다. 두 주일 전 삼층 꼭대기에서 추녀를 만지다가 떨어지는 바람에 뇌진탕으로 죽었다는 소식을 들었다. 삼십만 원은 말하자면 벌렁코의 죽음에 대한 도의적인 보상금인 셈이었다.

"죽으면서도 존 일 혔구만."

셋방이라도 좋으니 판자촌말고 의젓한 주택가에 방 한 칸 지니고 살아 봤음 좋겠다던 벌렁코의 모습을 떠올리며 만득 씨는 나직하게 중얼거렸다.

삼천 원을 꿔 들고 만득 씨는 굴다리를 지나 큰길로 나왔다. 버스 정류장에서 종점을 향해 그는 개천을 가로지른 6차선의 넓은 다리를 건넜다. D동의 주택가가 형성되면서 2차선의 비좁은 다리를 헐고 새로 세운 시멘트 콘크리트였다. 다리를 완전히 건너자 파출소를 사이에 두고 길이 두 갈래로 갈리고 있었다. 만득 씨는 큰길을 버리고 시장을 끼고 도는 좁은 길로 들어섰다. 저만큼 2층 건물의 아담한 소아과 병원 간판이 보였다. 셔터가 내려진 현관 앞에서 만득 씨는 잠시 망설였다. 초인종을 누를 용기가 안 나는 것이다. 어린것이 울기 시작했다. 연줄처럼 가늘고 힘이 없는 소리였다. 만득 씨는 반사적으로 초인종을 힘껏 눌렀다. 잠시 후 천천히 셔터가 올라가고 간호원인 듯싶은 젊은 여자가 고개만 내밀었다.

"뭐예요?"

"어린게 밤새 아퍼서 그런디유. 원장님 좀 보게 혀 줘야 쓰겠유."

만득 씨는 죄지은 소년처럼 두 손을 마주 잡았다.

"조금 기다리세요. 선생님 아직 주무시니까……."

금테안경을 걸고 여자같이 고운 피부를 지닌 젊은 의사가 진찰실에 나타난 것은 착실히 삼십여 분이 다 되어서였다.

"낳은 지 얼마 됐습니까?"

청진기를 어린것의 가슴에 대며 의사가 물었다.

"슥달 쬐매 못 됐시유."

"뭘 먹였소?"

"에미가 젖이 션찮아서유. 암죽을 쑤어 멕였는디 한 주일 전부텀 얼굴에 요리 주름이 생기고 습진이 퍼지대유. 열까징 나며 보챈 건 엊저녁부터구유……"

의사는 한 줌도 못 되는 어린것을 홀랑 벗겨서 이모저모 눌러 보더니 회전의자에 깊숙이 기대앉으며 안경을 벗었다.

"대체, 앨 죽일 생각이오?"

안경을 닦으며 의사는 마침내, 낮았지만 카랑카랑 울리는 목소리로 이렇게 초조히 기다리는 길례와 만득 씨의 덜미를 쳤다.

"단순한 피부병이 아니라 영양실조에서 오는 현상이오. 아시겠소?"

의사가 똑바로 만득 씨를 올려다보았다. 사나운 질타의 눈길이었다.

"탈수증에 소화불량까지 겹쳤는데 물이라도 충분히 먹였소?"

"무, 물유?"

"수분 공급만 착실히 해 줬어도 이 지경은 아닐 텐데."

팔짱을 끼고 다리를 포개얹으며 의사는 잘못한 학생을 다그치는 훈육주임의 표정이 되었다. 고개를 떨군 만득 씨의 이마가 순간 파르르 떨렸다. 뒤통수에 단 일격의 기습을 당한 느낌이었다. 한 통 7백 원짜리 분유를 못 대 주고 암죽을 쑤어 먹게 한 건 내버려도, 개도 안 물어 갈 가난 탓이었지만, 충분한 수분을 공급하지 않은 게 문제라면 그건 만득 씨 자신의 실수였다. 괜히 물만 많이 먹이면 몸도 단단하지 못하고 헛

배만 키운대서 가급적 암죽만 먹이도록 권했던 것이다. 지금껏 자식들을 길러 오면서도 그랬었고, 실제 만득 씨 자신도 평소엔 거의 물을 먹지 않는 성미였다. 의도적이었다기보다 만득 씨에게 있어서 그건 거의 어찌할 수 없는 생리 현상과 같았다.

어린 시절, 만득 씨는 연무읍에서 강경 쪽으로 십 리쯤 나앉은 두화라는 마을에서 자랐다. 본래 대전이 고향이었으나 엿장수였던 아버지가 결핵으로 죽고 나자, 어머니는 어린 동생과 만득 씨를 거느리고 끼니를 연명하기 위해 거지처럼 떠돌다가, 어쩌다 그 마을에 발을 붙였던 것이다. 2백여 호가 넘는 커다란 마을이었다. 대부분 빈농이었지만 환갑이나 혼인식처럼 동네가 온통 들끓는 잔치에서부터 모내기, 김매기, 타작이며 기제사에 이르기까지 일 년 내내 크고 작은 일들이 그치질 않았다. 그래서 다 쓰러져 가는 빈집에 바람 구멍만 흙질로 막아 놓고 어머니는 아침마다 만득 씨 남매를 꽁무니에 매달고 일손이 필요한 집을 찾아다녔다. 부엌일도 도와주고 밭일도 거들면 세 식구 굶지 않았을 뿐 아니라 때론 헌옷가지나마 얻어 입을 수 있었던 것이다. 하지만 그것도 봄부터 가을까지였다. 타작마당에 도리깨질 소리가 멈추고 서리가 지붕 위에 허옇게 내리면 마을은 다만 적막 속에 잠잤다. 한 달내 잔치 한 번 없을 때도 있는 이런 겨울이면, 만득 씨 남매는 어머니가 얻어 오는 보리밥 한 덩이로 진종일 떨며 견디지 않으면 안 되었다. 어쩌다 사람이라도 죽어 나가면 만득 씨에겐 그것이 제일 신났다. 적어도 장례를 치를 사흘 동안만은 실컷 먹을 수 있었기 때문이었다. 부엌을 들랑거리며 어머니는 고기 따위를 치마폭에 감싸 날랐고, 만득 씨 남매는 누가 볼세라 집어삼켰다. 그럴 때 목이 잠겨 물그릇이라도 주워 들면 어김없이 어머니의 주먹이 뒤통수로 날아왔다. 국물이든, 숭늉이든 물은 먹지 말라는 것이었다. 밥이나 고기로 배를 채워 놔야 쉽게 꺼지지 않고 견딜 수 있다는 어머니의 생각은 아주 철저하였다. 가급적 김치나 푸성귀까지도 손대지 못하게 하였다. 만득 씨 남매는 호흡이 불편할 만큼 물 없이 밥을 먹곤, 대개 양지바른 풀밭에 쓰러져 잠이 들었다. 잠들며 올려다보는 하늘은 항상 눈시리게 푸르렀고, 고개를 돌리면 들녘은 너무 넓어 지평선이 까마득했다. 우리도 논이 좀 있었으면 하는 소망은 실상 좀더 자라서였고, 그보다 아주 더 자라 버렸을 땐 일당이나 몇백 원 더 받기를 바랄 뿐 그 소망마저도 죽어 버렸으나, 물을 안 먹는 버릇만은 지금까지도 앙금처럼 만득 씨 체내에 남아 있었던 것이다.

"입원시키시오!"

의사의 위압적인 한 마디에 비로소 만득 씨는 고개를 들었다.

"우선 입원 보증금 이만 원을 내고 수속을 하시오."

할 말이 끝났다는 듯 의사가 자리에서 일어선 것과 길례가 손바닥으로 얼굴을 감싸쥐며 울음을 터뜨린 것은 거의 동시였다.

"저, 입원비가 읍는디……."

더듬거리며 기어드는 목소리로 만득 씨는 의사의 등에 매어달렸다. 잠깐, 의사가 고개를 돌리고 만득 씨와 길례를 찬찬히 살펴보았다.

"그럼 할 수 없지만, 어린걸 이런 식으로 내박쳐 둔다는 건 죄악이오. 아시겠소? 잘 입고 잘 먹이고 그래서 튼튼하게 길러야지요. 당분간 매일 병원에 오고, 분유를 묽게 타 먹여요. 보리차를 끓여서 늘 떨어지지 않게 하고…… 아시겠소?"

처방을 적은 쪽지를 간호원에게 넘기고 의사는 안쪽으로 사라졌다. 주사 한 대와 하루분 약봉지를 받아 들고 만득 씨는 이천이백 원을 건넸다. 팔백 원 남은 돈으로 분유 한 통과 볶은 보리 반 되를 사 들고 집으로 돌아오자 6학년짜리 막내가 짜증부터 부렸다.

"나 인제 집에서 잘래. 어젯밤은 추워 죽을 뻔했단 말야."

"조 급살맞을 놈이. 왜 또 이퉁(떼)을 부리냐, 후딱 처먹고 핵교 안 가!"

까치댁이 눈을 부라리며 빗자루를 거머쥐었지만 녀석은 막무가내였다. 만득 씨는 말없이 분유를 열어 놓고, 김치 한 종지에 보리밥이 딸려 온 상을 향해 수저를 들었다.

열여섯 살배기 성구가 수저질을 하며 힐끗, 만득 씨의 눈치를 살폈다. 성구와 막내는 여름 이후, 개천 쪽에 하수도 공사를 위해 시에서 실어다 부려 놓은 커다란 하수도 통에서 새우잠을 잤다. 시멘트통이요, 바닥이 원형일 뿐 아니라 양쪽이 휑하니 열려 있으니 한뎃잠이나 다름없었지만 형편이 어쩔 수 없었다. 배부른 길례가 공장 기숙사에서 쫓겨 나와 집으로 돌아오면서부터 단칸방이 비좁았기 때문이었다. 더구나 요즘엔 제대해 돌아온 큰애 성철이까지 끼게 되었다. 온 식구가 모여 있으면 앉아 있기조차 거북할 만큼 비좁은 방이었다. 하지만 성구와 막내가 이제 완연해진 가을을 맞아 추워서 못 자겠다는 불평은 당연한 항변이었다.

"누나 땜에 우리만 망했어, 씨."

막내가 기어코 누나를 걸고 넘어졌다.

"임마, 왜 누나 때문이야? 우리가 넉넉지 못해서 그렇지. 식구통 닥치고 밥이나 죽여!"

형다운 말투로 성구가 막내의 투정을 윽박질렀다. 변두리 양화점에 견습공으로 다니는 성구는 월급 팔천 원을 한푼도 축내지 않고 까치댁에 바치는 착실한 성격이었다. 그래서 언제나 길례에 대한 집안 사람의 화살도 혼자 도맡아 방패 노릇을 하였다.

길례는 본래, 권투 글러브를 만드는 가내공업 규모의 공장에서 재봉일을 했다. 종일 미싱 위에 앉아서 오리고, 풀칠하고, 가죽을 박아 내는 고된 작업이었지만 워낙 오래 있어서 대우가 괜찮았다. 그런데 우연히 물건 때문에 자주 공장에 들락거리던 체육사의 젊은 놈과 눈이 맞았다. 배가 불러 오고 더 근무할 수 없는 형편에 이르자, 체육사까지 찾아가 봤지만 놈은 이미 그 바닥을 떠 버린 후였다. 까치댁이 길길이 뛰어 봤으나 어쩔 도리가 없었다. 수술해 버리기에도 너무 늦었던 것이다. 낳고 보니 사내였다. 처음엔 맨숭맨숭했던 것이 두 달이 지나면서 차츰 사랑스런 기분이 들었다. 고물고물 움직이는 고 조갑지 같은 손을 보고 있으면, 불현듯 저것이 내 손주구나, 싶어지는 것이다.

막내와 성구가 각각 학교와 양화점을 향해 나가자, 마침내 빗방울이 다시 후두둑 떨어졌다. 아파트 공사판에서 종일 자갈을 져 나르고 일당 천오백 원 버는 일도 그렇게 되면 에누리 없이 공치는 것이다.

"썩을 놈의 날씨까징 사람 쥑이네……."

보리차를 어린것에게 떠 넣으면서 까치댁이 중얼거렸다. 만득 씨는 꼴깍꼴깍 보리차를 받아 마시는 어린것을 물끄러미 바라보다가 그만 질끈 눈을 감았다. 눈을 흘겨 대며 뒤통수를 쥐어박던 어머니의 모습이 허공에 환히 떠올랐던 것이다.

"에이구, 만득아, 요 병신 같은 놈아! 워찌 물을 처먹냐, 처먹길…… 밥만 옹골지게 먹어 놔야 후딱 배가 안 고프다고 고렇게 일러 줬는디……."

어머니의 알밤이 뒤통수에 아프게 쏟아지듯 빗소리가 만득 씨 가슴속에 천방지축 뛰놀았다. 청승맞은 늦가을의 비였다.

"워디서 인자 오냐?"

사흘이나 코뺴기도 인 뵈던 큰애 성철이가 조춰한 몰골로 들어오자 부엌에서 코를 패앵 풀고 나서며 까치댁이 물었다.

"정비소에서 잤어요……."

"그러면 말이라도 허고 가야지, 집이선 궁금허잖여?"

"집구석에 와 봤자 어디 발뻗고 잘 데라도 있어요? 그나저나 그거 어찌 됐어요?"

"뭐말여?"

"참, 그것말예요. 오만 원!"

순간, 만득 씨의 가슴이 또 한 번 내려앉았다. 어린것이 아프고 이틀이나 날일도 공치는 바람에 그만 성철이의 일을 까마득히 잊고 있었던 것이다. 아니, 잊지 않았다 하더라도 뾰족한 수가 있을 리 없었지만, 만득 씨는 새삼 아들 보는 일도 미안하고 불안했다.

성철이가 제대하여 돌아온 지는 벌써 한 달이 지났다. 입대 전에 정비소에서 틈틈이 운전 기술을 익혔고, 또 군대 3년을 운전병으로 지냈기 때문에 만득 씨는 성철의 장래 문제는 애당초 걱정하지 않았었다. 그러나 사정은 그렇게 잘 풀려지지가 않았다. 비록 운전이야 능숙했으나 그놈의 면허증을 내는 일은 그것만 가지고는 되는 게 아니었다. 당당히 면허 시험을 치르는 방법이 있지만 필기 시험이 문제였다. 성철이는 초등학교도 제대로 못 다녔던 것이다. 제 나름대로 꿈을 키우며 제대한 뒤 이렇게 첫 관문부터가 어려워지자 녀석은 차츰 성격이 거칠어져 갔다. 툭하면 욕지거리고 제 동생들을 일없이 들볶는 거였다. 그러던 그가 입대 전에 다니던 정비소에 들락거리더니 한 주일 전엔 제법 취기까지 오른 얼굴로 만득 씨 앞에 오만 원만 해 내라고 악다구니를 썼던 것이다.

"글쎄, 딱 오만 원이면 결판난다고요. 정비소 이 상무가 일주일 이내에 면허증 빼 주고 차까지 잡아 준다는 거예요. 이번 오만 원만 해 주면 막내 하나는 내가 가르치겠어요."

그러나 오만 원을 만드는 일은 면허를 내는 것만큼이나 만득 씨에겐 어려웠다. 유일한 방법은 판자촌에 나도는 딸라돈을 얻어쓰는 것인데 보증인 두 명이 문제였다. 보증을 서도 될 만큼 터잡고 사는 사람은 도대체 붙잡아 약에 쓸래도 만득 씨가 부탁할 만한 사람 중에 없었던 것이다.

"그럼 말예요. 오만 원도 안해 줄려면 말예요……."

충혈된 눈으로 만득 씨와 길례를 한 번 훑어보고 난 성철은 우선 까칠하게 말라붙은 입술을 질끈 물고 잠시 뜸을 들였다.

"길례를…… 시집보냅시다."

만득 씨와 길례가 고개를 번쩍 든 것과 동시에 까치댁의 목소리가 쨍하고 울려 나왔다.

"뭐여!"

"이 상무가 조카를 하나 길러 왔는데요. 어려서 부모가 죽었나 봐요. 올해 스물아홉인데 지금 한참 색시감을 고르는 중이거든요."

"그런 댁에서 워찌 우리 길례를 데려가겠냐?"

"애는 때 놓고 처녀라 속여야지요. 될 거예요. 그 친구도 뭐 배운 것 없고, 또 한쪽 다리가 없으니까요. 차에 치여 무릎을 잘랐어요."

만득 씨의 전신에 뜨거운 열기 같은 게 확연히 차올랐다. 손끝이 파르르 떨려 왔다.

"그건 안 되여!"

그는 거의 신음하듯 이렇게 성철이의 말꼬리를 잘랐다.

"왜요, 왜 안 돼요?"

"좌우당간 안 되여!"

"애새끼 때문예요? 그까짓 씨도 제대로 모르는 거 고아원에 맡겨 버리면 되잖아요? 뭐가 안 돼요, 길례는 뭐 내놓을 게 있다고요? 다리 병신이나 씨도 모르는 애밴 헌 계집애나 피장파장인걸……."

순간, 거의 발작하듯 내쏟던 성철의 고개가 홱 꺾여 돌았다. 만득 씨가 자기도 모르는 사이에 뺨을 후려갈겼던 것이다.

"왜 때려? 자식 새끼에게 도대체 뭘 해 줬다고 때리는 거야! 씨팔, 집도 내쫓기고, 애비 없는 외손주나 끼고 어쩌자는 거예요? 곧 겨울인데……."

고래고래 미친개처럼 악을 쓰던 성철이가 마침내 흐드득 느껴 울며 머리칼을 움켜쥐었다. 만득 씨는 밖으로 나섰다. 하늘의 한편이 환히 트여 왔다. 그는 아파트 공사장을 향해 둑길을 타 내려갔다. 가슴이 콩콩 뛰놀고 다리가 휘청거렸다.

성철이의 말이 귓가에 쟁쟁하게 남아 있었다. 이제는 곧 겨울인데, 이십 일 이내에 판잣집을 자진 철거하라고 구청에서 계고장이 날아든 건 열흘쯤 전이었다. 이것저것 발등에 떨어진 불 때문에 미처 그걸 신경쓰지 못하고 있었지만, 따져 보면 그보다도 더 큰 불은 없었다. 만득 씨는 그저 앞이 캄캄한 기분이었다. 만득 씨는 말없이 바작에 자갈을 퍼 담았다. 어깨에 지고 4층에 올라서자 바로 코앞인 듯 판잣집의 올망졸망한 지붕이 내려다보였다. 만득 씨는 공연히 소년처럼 코허리가 시큰해 왔다. 어머니의 시신을 리어카에 싣고 힘겹도록 추켜 오르던 연무읍의 외곽 지대, 공동묘지로 가던 그 황토마루가 생각났다.

지독하게 화사한 5월의 아침녘이었다. 온통 진초록의 보리밭을 뚫고 자갈이 깔려진 하얀 길은 고갯마루까지 그대로 쪽 곧은 대나무였다. 햇빛은 정갈하고 바람은 부드러웠다. 뒤돌아보면 리어카를 밀어 오던 누이동생이 단발머리 너머, 저수지의 푸른 물색이 하늘하늘 흔들리는 비단 같았고, 앞엔 저만큼 황토마루 위에 역시 물색 같은 하늘이 아지랑이와 함께 내려와 있었다.

"오빠! 쉬고 가. 땀 좀 닦고……."

"그려, 너도 쉬어!"

중턱에 리어카를 받쳐 놓고 땀을 닦는데 어디선가 현란한 빛깔의 호랑나비 한 마리, 가마니에 덮인 어머니의 시신 위에 내려앉았다.

"엄니가 존게벼, 저 호랑나비……."

누이동생의 탄성을 뒤따라 문득 짤랑짤랑 요령 소리가 고개 너머에서 들려왔다. 이윽고 수많은 만장을 앞세우고 꽃상여 하나 불쑥 고갯마루에 나타났다. 그리곤 요령 소리 구슬프게 남기며 어머니의 시신 옆을 서서히 지나쳐 갔다. 그 때, 풀석 호랑나비가 날아오르더니 꽃상여 한복판에 사뿐히 내려앉는 거였다.

"썩을 놈의 나비가!"

눈물을 뿌리며 누이동생이 발을 굴렀으나 호랑나비는 되돌아오지 않았다. 저만큼 내려가는 꽃상여의 찰랑거리는 휘장과 정결한 흰색이 눈부셨다.

와락, 눈물이 솟구쳤다. 어머니를 덮고 있는 가마니의 칙칙한 빛과 꽃상여의 눈부신 순백색, 구성진 요령 소리와 리어카의 침묵…… 비로소 호랑나비가 자리를 옮겨 간 까닭을 깨달으며 울컥 서러움이 복받쳐 왔던 것이다.

4층에서 내려다보는 판자촌과 고급 주택가의 한계선은 너무나 명확하였다. 그보다 더 완강한 한계선은 없을 것 같았다. 그렇구먼, 그 화려했던 꽃상여와, 리어카 위에 팽개쳐진 엄니의 시신과, 그 둘이 만났을 때하고 똑같구먼그려.

"이봐. 벌렁코처럼 되고 싶어 이려?"

어깨를 쳐서 돌아보니 종덕이가 사람 좋게 웃고 있었다. 만득 씨는 자갈을 등에 진 채 난간에 서 있었던 것이다.

"계고장인가 개나발인가 허는 것 땜에 정신이 나갔는 게비구먼. 그려도 너무 걱정 말어. 사람이 아주 죽으라는 뱁은 읍는 거여……."

"판잣집 철거 시키믄 권리금 월매나 준댜?"

"그것, 줘 봤자 월매나 주겄어? 울던 애 달래느라고 쥐어 주는 사탕 푼수나 되겄지. 그려도 자넨 성철이도 제대허고 왔응께 나보담 날 껴여. 빌어 처먹을 놈의 시상, 갈수록 살긴 더 어려워지니 요게 무슨 놈의 요지경 속인지 알다가도 모르겄당게."

"……."

"아따, 얼빠진 천치처럼 그러고 있지 말고 어서 자갈이나 부려. 그러다가 벌렁코처럼 쑤셔박혀 뒈지면 만사 끝장 아닝게비……."

자갈 바작을 쏟아내리는 만득 씨의 눈에 순간 삼십만 원의 지폐 다발이 휙 떠올랐다. 어제 아침 벌렁코가 죽은 값으로 받은 게 삼십만 원이었다는 종덕이 말이 생각났기 때문이었다.

이날 밤 늦게, 만득 씨네 집엔 수수께끼 같은 사건이 생겨났다. 낮에 병원에도 다녀오지 못했던 어린것이 감쪽같이 없어진 것이었다.

만득 씨가 집에 돌아온 것은 여덟 시가 좀 지나서였다. 올망졸망 모여 앉은 애들 사이에 어린것은 새근새근 잠들고 있었다.

"병원에 가야 헐 틴디……."

만득 씨가 신발을 벗으며 중얼거리자 성철이가 벌떡 일어서며 이죽거렸다.

"병원엘 다 가요? 참, 사람 죽여 주네. 잠잘 데도 비좁은 판에 씨도 모르는 새끼 살려 보겠다고 없는 돈을 처들여요?"

"너는 워찌 말을 그렇게 혀서 식구들 가슴에 못을 박냐!"

돌아앉은 길례를 힐끗 바라보며 까치댁이 나지막하게 나무랐다.

"그러니까 길례를 시집보내자는 게 아녜요? 다리가 병신이지만 사람

무던하니 길례도 나쁠 건 없고, 또 나도 당장에 면허증 내고…… 그러면 우리 집 살게 되는 거예요. 안 그래요?"

"그려도 석 달도 안 된 새깽이를 워찌 에미 손에서 떼 놓겠냐? 인두껍을 쓰고 못헐 짓이여……."

만득 씨는 앉으려다가 다시 문밖으로 나와 버렸다. 충혈된 눈알을 야무지게 굴리며 소리지르는 성철이를 향해 내놓을 것은 두 손뿐이기 때문이었다.

"나가, 이년아! 차라리 나가 뒈져!"

길례를 향해 악을 쓰는 성철이의 목소리가 뾰족한 바늘끝이 되어 만득 씨의 등줄기에 날아와 박혔다.

"형은 뭔데 그래? 뭐 잘났다고……."

성구가 길례를 감싸고 나섰다.

"이 새끼가! 좆만한 게 까불어……."

철썩 하고 뺨을 올려붙이는 매서운 소리가 들려왔다. 울부짖는 성구…….

만득 씨는 재빨리 그 곳을 벗어났다. 하늘엔 별들이 총총히 박혀 있었고 D동의 주택가엔 별들만큼 수많은 불빛들이 보였다. 그 불빛들을 감싸듯 하며 신촌 쪽으로 밤열차가 오고 있었다. 그는 굴다리 앞에서 열차를 보내고도 한참 동안 그대로 서 있지 않으면 안 되었다. 종덕이네를 빼곤 갈 곳이 없었기 때문이었다. 그래서 종덕이와 가겟집에서 막소주 한 병을 비우고 돌아왔을 땐 자정이 가까워서였다.

"아이고, 이게 워쩐 조화속이래유? 글씨, 귀신이 곡헐 노릇이지……."

까치댁이 눈물을 닦으며 만득 씨의 팔을 붙잡았다. 그 동안 어린것이 연기처럼 증발되어 버렸다는 것이었다.

"성철이가 승질을 부리고 나간 뒤 성구랑 막내까징 밖으로 자러 보냈

지 않아유. 헌디, 반장이 와서 회의에 좀 나오라는 거여유. 철거 보상에 대한 것을 상의헌다구요. 그래서 길례만 냉기구 나갔는디 글씨, 이게 워쩐 변이래유?"

길례는 어린것이 잠든 것을 확인하고 잠시 변소에 다녀온 모양이었다. 이 곳 사람들은 대부분 굴다리 아래 임시로 마련된 공동 변소를 쓰고 있었다. 베니어판의 쪽문이 여기저기 구멍이 뚫린 채 아슬아슬하게 매달려 있었지만, 그나마 일일이 변소를 마련 못 한 이 곳 사람들에겐 없어서는 안 될 유일한 변소였다. 아침엔 십여 명씩 변소 앞에 줄을 서서 아우성이었다. 사람들 성화에 변이라고 해 봤자 한 방울 찔끔 하면 제대로 닦지도 못하고 나와야 했다. 만득 씨도 이 곳으로 와서 비로소 대변을 빨리 보는 버릇이 생겼다.

"다녀와서 보니까 덮어 놓은 포대기까지 통째로 없어졌어요. 문이랑 활짝 열려 있고……."

길례는 목이 메어 말을 끝내지 못했다. 만득 씨는 쭈그려 앉은 채 한 마디도 하지 않았다. 변소에 다녀오는 사이라면 길어야 3,4분 걸렸을 것이다. 그 동안, 석달도 안 된 어린것이 기어 나갔을 리도 없을 테고 누군가가 들어와서 훔쳐 갔다고 볼 수밖에 없다. 그렇다면 누가 앓아서 볼품없이 쭈그러진 어린것을 안고 나갔단 말인가. 까치댁의 말대로 정말 귀신도 코를 싸쥐고 돌아설 일이었다.

성구가 주먹을 불끈 쥐고 혼잣말처럼 씹어 뱉었다.

"이건 틀림없이 형의 짓일 거야. 누나 시집보내고 자기 면허증을 따낼려고. 개놈의 새끼, 들어오기만 해 봐라……."

"뭐여! 설마 형이 그랬겄냐? 시방은 그려도 어려선 월매나 착헌 애였는디. 건너짚으면 팔 뿌러지능 거여."

"그럼 누가 앨 데려가?"

"저 건너편, 부잣집 동네에선 애 못 날 땐 이렇게 훔쳐 가기도 헌다. 돈은 쌔고 쌔서 썩어 나가지. 자식은 읍지……."

"헤에, 웃기고 있네. 그런 집에선 우리 집 애 같은 건 줘도 안 데려간 대요 핏줄이 다르다고, 핏줄……."

아침까지도 성철이는 나타나지 않았다. 만득 씨는 쭈그려 앉은 채, 뜬 눈으로 밤을 밝혔다. 꼭 넋나간 사람이었다. 말 한 마디 하지 않았고 오줌 한 번 누러 나가는 기색이 없었다. 아침 밥상을 디밀어 놔도 마찬가지였다.

"워쩔려고 그려유? 이렇게 돼 가는 것도 팔잔디…… 후딱 한 숟갈 뜨고 일 가야쥬……."

"밥 생각이 읍당게. 그보다도 내복이나 빤 걸로 내 줘야 허겄어."

"빤 게 워딨어유? 다 떨어진 건 줄여서 성구 입혔는디……."

이것뿐이었다. 만득 씨는 수저 한 번 들지 않고 아파트 공사장을 향해 둑길을 타 넘었다. 둑 위에서 만득 씨가 뒤돌아보았을 때 울상이 되어 서 있던 까치댁과 잠깐 시선이 마주쳤다. 순간 만득 씨의 부옇게 흐린 시선이 까치댁에겐 어쩐지 섬뜩해 왔다. 까치댁이 한 발 앞으로 내디뎠으나 둑 위에 만득 씨는 이미 남아 있지 않았고, 며칠 만에 쫙 내리비치는 밝은 햇살뿐이었다.

골조만 거의 완성된 아파트의 4층을 향해 만득 씨는 올라가고 있었다. 등에 진 자갈이 철근같이 무거웠다. 모처럼 내리쬐는 늦가을의 햇살 때문인지 공사판엔 그 어느 때보다도 활기가 넘쳐흘렀다. 만득 씨는 되도록 천천히 한 발 한 발을 정확하게 떼어 놓고자 하였다. 밤잠도 못 잔 데다가 아침을 굶은 닷인지 다리가 떨리고 잠깐씩 눈앞이 노래져 왔던 것이다.

3층을 지났다. 비스듬히 걸려진 철제 깔판은 뚫려진 구멍 속에 엄지

발가락을 걸며 밟지 않으면 미끄러웠다. 만득 씨는 되도록 허리를 앞으로 굽히며 4층 난간으로 접어들었다.

"뭐야, 좀 빨랑 가지 않고!"

뒤에서 따라오던 이씨가 만득 씨를 향해 소리쳤으나 만득 씨의 귀엔 아무것도 들리지 않았다.

큰길에서 들려오는 자동차의 엔진 소리, 공사장 주변의 지저분한 소음, 둑길을 달려가는 분뇨 트럭들의 불안한 속력, D동 사이의 쪽 곧은 아스팔트…… 만득 씨는 지금 그 모든 것에서 멀리 달아나 있었다.

어머니를 묻고 돌아오던 황토마루엔 먼지 쌓여 박혀 있는 자갈뿐이었다. 고개 위에서 내려다보면 그대로 탁 트인 성동 벌판. 어린 시절을 다 보낸 두화 동네는 저수지와 벌판 사이에 끼여 5월의 한낮을 졸고 있었다. 누이동생과 무릎을 세우고 앉아서 그는 문득 어째서 저 동네로 되돌아가야 되는 것일까 하고 생각했다. 그는 동생의 손목을 붙잡고 도망치듯 두화 동네의 반대편을 향해 달려갔다. 어머니가 미워서, 어머니와 떨어지기 위해서 그는 열여덟의 숫된 나이로 서둘러 그 곳을 떠났던 것이다.

하지만 지금 자갈을 지고 힘겹게 철판을 밟아 가는 만득 씨의 마음속엔 웬일인지 어머니에 대한 새삼스런 그리움이 가득 찼다. 아무것도 남기지 못하고 다만 말라붙은 당신의 시신만을 떠맡기고 죽어간 어머니의 아프디아픈 한이 지금에야 뼈저리게 느껴지는 것이다.

그려도 엄니는 굶지 않고 사는 법을 가르쳤덩거여. 나 같은 것보다 백 배 났었당게. 푸석푸석 말라붙은 손주 새깽이를 자식놈헌티 도적질 당헐 그런 엄니가 아녀!

4층 난간에 척 올라서자 만득 씨 눈앞엔 파르르 손가락을 떨며 죽어가는 외손주의 모습이 환히 보였다. 그리고 자신을 향해 원망스럽게 치켜든 성철이의 충혈된 눈, 하수도용 토관에서 기어 나오는 성구와 막내의 오소소 소름 돋친 안색…….

자식 새끼라고 뭐 하나 해 준 게 있냔 말예요? 오만 원만 빨리 주세요.

추워서 이제 하수도 통 속에선 안 잘 테야.

까치댁이 막내의 투정을 윽박지른다.

썩을 놈덜. 우리 집 같은 건 권리금도 안 준다. 인자 꼼짝없이 신작로에 나앉게 되얏는디 춘 게 문제여!

만득 씨는 이를 악물었다. 어지럽다.

잘 먹이고 잘 입히고, 그래서 튼튼하게 길러야지요.

여자처럼 고운 피부를 가진 젊은 의사가 안경 너머로 만득 씨를 질타하고 있다. 그리고 길례, 다시 성철이, 성구, 까치댁…… 모든 사람들이 일제히 손을 허우적이며 만득 씨에게 매달렸다. 만득 씨는 마지막 힘을 모아 떨리는 오른발을 성큼 앞으로 내밀었다.

뒤따라오던 이씨가 외마디 소리를 질렀을 때 만득 씨는 이미 4층 난간에서 허공으로 떨어진 뒤였다.

만득 씨가 다시 정신을 차렸을 땐 다음 날 아침, 천장이 휑하니 높은 병실에서였다. 처음에 그는 자신이 살아 있음이 믿어지지 않았다. 그러다가 꼼짝 못하도록 침대에 묶인 채 다리와 어깨가 붕대로 감겨 있는 것을 확인하고 만득 씨는 선뜻 눈만 감았다.

"천만다행이여. 어깨뼈하고 다리가 부러졌는디 잘만 허면 나을 수 있다는구먼."

송덕이의 복소리가 꿈결처럼 들려왔다.

"사람이 워찌 그 모양인가? 회사에서야 실족헌 줄로 알지만 나는 다 알 것 같어. 혹시라도 자네가 벌렁코 생각헌 줄 말여. 워찌 그리 못난 생각을 혀? 돈 몇십만 원에 모가지를 걸어 보다니……."

종덕이는 말끝을 흐렸다. 만득 씨는 비로소 눈을 뜨고 주위를 둘러보았다.

"아버지!"

성철이가 한 발 다가섰다.

"이놈아! 어린것은…… 워쨌냐?"

꿀꺽, 울음을 삼키고 만득 씨는 자신도 모르는 사이에 이렇게 엉뚱한 질문을 던졌다. 성철이가 흐드득 흐느끼면서 뛰쳐나갔다.

"못난 놈. 이봐, 종덕이!"

"워찌? 힘든디 자꾸 말헐라고 그러지 말어."

"의사 선상님헌티 한 가지만 확실히 물어봐야 쓰겄는디……."

"뭘?"

"설마, 내가 어깨를 못 쓰게 되능 건 아니겄지? 기왕에 모진 목숨인디 자갈도 져 나를 수 읍게 되면 워쩌겄어? 벌어먹고 사는디까징 살아야 헐 거 아녀!"

그뿐! 만득 씨는 다시 입을 다물고 눈을 감았다. 어느 방향에선가 열차의 진동음이 아득히 들려오고 있었다.

다음 날 새벽, D동의 파출소엔 젊은 청년 하나가 절도 미수로 잡혀 들어왔다. 주택가의 한편 끝에 있는 이층 담을 넘으려다 방범 대원에게 붙들린 것이었다. 그런데 이 젊은이는 한사코 물건을 훔치려고 했던 게 아니라고 우겼다.

"그럼 뭣하러 담을 넘으려 했어?"

"애기를 찾아올 생각이었어요. 석달 된 조카앤데 엊그제 밤에 그 집 문 앞에 내가 버렸었단 말예요. 정말예요. 그 집 식모가 애기를 안고 들어가는 걸 봤어요. 애기 좀 찾아 주세요. 어서요……."

횡설수설하는 게 꼭 신들린 무당 같았다. 담당 순경은 어쩔 도리가 없이 사실 여부를 확인하기 위해 청년을 붙잡아 온 이층에까지 다녀오지 않으면 안 되었다. 정오가 다 되어 돌아온 순경은 추위에 퍼렇게 죽은 입술로 보리차를 홀짝거리며 파출 소장에게 이렇게 보고하였다.

"사실입니다. 엊그제 자정이 가까운 시간, 그 집에서 애를 하나 주웠대요. 너무 늦어 그냥 재웠는데 밤새 심상치가 않았답니다. 열이 대단했던 모양이에요. 새벽에 영아원으로 옮겼는데 애는 죽었답니다. 급성 폐렴이었는데 영양실조로 너무 쇠약해 있어서 손써 볼 틈도 없었대요."

"쯧쯔, 영아원으로 안 데려가고 새벽에 곧장 병원으로만 갔어도 살릴 수 있었을지 모르는데."

"그치만 그 이층집에 죄를 물을 순 없지요…… 저놈이 문제지…… 저 녀석, 영아 유기죄에 과실 치사까지 겹쳐 처리해야겠지요? 그렇게 본서에 보고할까요?"

파출 소장은 다만 고개만 두어 번 끄덕거렸다.

오정희

동 경

소음 공해

지은이

1947~. 서울 출생. 1968년 《중앙일보》 신춘문예에 단편 〈완구점 여인〉이
당선되어 문단에 데뷔했다. 탄력있는 문체로 여성만이 포착할 수 있는 미묘한
심리적 갈등을 즐겨 다룬다. 등단 이후 그리 많은 작품을 발표하지는 않았지
만, 깊이 있는 문학 세계를 구축한 것으로 평가되고 있다. 〈저녁의 게임〉으로
이상문학상, 〈동경〉으로 동인문학상을 수상했다.

동 경

아내가 커다란 함지에 밀가루를 쏟아붓는 것을 보고 그는 식사 전의 산책을 위해 집을 나섰다. 두어 발짝 옮겨 놓을 즈음 그는 언덕길로부터 자전거를 타고 달려오는 이웃집 계집아이를 보았다. 브레이크 장치를 움켜쥐고 가속도에 몸을 맡겨 비탈길을 내려오는 아이의 얼굴은 긴장으로 조그맣고 단단하게 오므라들어 있었다. 짧고 꼭 끼는 면바지 아래 종아리도 팽팽히 알이 서 있었다.

공기의 저항을 줄이기 위한 어떤 노력도 없이, 그 아이에게는 아마 지나치게 클 것인 자전거의 페달을 밟고 꼿꼿이 선 자세로 달려오던 아이가 마주 걸어오는 그에게 눈길을 주었던가, 그는 알 수가 없었다. 그의 늙은 얼굴에 떠오른 미소보다 재빨리, 맞바람에 불불이 일어선 머리칼과 아직 그을지 않은 흰 이마가 잠깐 기억되었다가 사라졌다.

절기보다 이른 더위 탓인가, 골목에는 사람의 자취가 없어 그는 늘상 다니는 길이면서도 이상한 낯설음에 빠져 달려가는 아이의 뒷모습을 눈으로 좇았다. 회색빛 담과 낮은 지붕들이 잇대어 있을 뿐인 길을 아이는 달리고, 바람이 길을 낸 자리에 풀포기 다시금 어우러들 듯 풍경은 두 개의 바퀴가 만드는 흰 공간 속으로 빨려 들어갔다.

이상하게 조용한 한낮이었다. 간혹 열린 대문으로 빈 뜨락이 보이고 안이 들여다보이지 않도록 무덥게 드리워진 불투명한 발이 보일 뿐이었다. 아직 아이들이 학교에서 돌아올 시간이 아닌 것이다.

아이는 문득 죽은 듯한 정적을 의식했던가, 아니면 아무도 없는 빈 길에서 쉼없이 페달을 돌리는 권태로움 때문인가, 장애물도 없는 골목에서 두어 번 길고 날카로운 경적을 울렸다.

아이는 아마 필시 시간을 다 채우지 못하고 슬그머니 유치원을 빠져 나왔음이 틀림없었다. 아침마다 그는 담 너머로, 유치원에 가기 싫어하는 아이의 울음소리를 들었다. 그러나 아이는 결국 담장 사이에 난 샛문을 열고 그의 집 마당을 가로질러 유치원에 가곤 했다. 비 오는 날이면 발꿈치까지 닿는 노란 비옷을 입고 마당의 물이 괸 자리를 골라 철벅거리며 한껏 늑장을 부렸다. 유치원에서 돌아오면 자전거포에서 자전거를 빌려 타거나 그의 집 마당 귀퉁이에서 소꿉놀이를 하며 놀았다. 아내는 아이가 그의 집을 무시로 드나드는 것을 싫어했다. 함부로 잔디를 밟고 꽃들을 꺾기 때문이었다. 그리고 아이가 왔다 가면 무엇인가 조그만 물건들이 없어진다고 했다. 때문에 아내는 언제나 아이가 다녀간 자리를 의심스러운 눈길로 살피곤 했다.

아이의 엄마는 찻길에 면해 있는, 약국과 정육점, 당구장이 들어 있는 삼층 건물의 이층 미장원에서 일하고 있었다. 아이를 낳은 후 바로 중동에 나간 아이의 아버지는 이제까지 계속 연장 취업을 하고 있다고 했다.

아이의 엄마는 쪽문을 통해 그의 집을 드나드는 일이 거의 없었지만 그는 그 여자를 자주 보았다. 창문을 열어 놓을 철이면 차 소리가 잦아드는 사이사이 미장원에서 찰칵찰칵 머리칼 자르는 가위 소리가 길 아래까지 들렸다. 때로 찻길의 소음을 막기 위해 창문을 닫는 찌푸린 얼굴을 보았다. 늦은 저녁이면 파마용 비닐 앞치마를 두른 채 찬거리를 사들고 종종걸음을 치는 그녀와 아주 가까이서 마주치기도 했다. 그럴 때의 그 여자에게서는 파마약과 머리칼 냄새가 강하게 맡아졌다. 한 달에 두 번 쉬는 휴일이면 그 여자는 수채에 쭈그리고 앉아 크악크악 가래를 돋구어 뱉었다. 글쎄, 목에서도 머리칼이 나와요. 그래서 난 되도록이면 머리를 자를 때 입 다물고 말을 안 해요. 손님들한테서 무뚝뚝하다는 얘기를 듣긴 하지만요. 언젠가 그는 누군가와 얘기하는 그 여자의 말소리를 들었다.

느린 걸음으로 주택가의 모퉁이, 어린이 놀이터에 이르렀을 때 그는 자전거에서 내려 비스듬히 기대서 있는 아이를 보았다. 아이는 그늘 한 점 없이 쨍쨍한 놀이터의 모래밭에서 게처럼 놀고 있는 아이들에게 물었다.

"너희들, 내 만화경 못 보았니? 누가 훔쳐 갔니?"

"몰라, 몰라."

아이들이 코를 훌쩍이며 대답했다.

아이는 어제저녁 늦도록 샅샅이 뒤져 본 모래더미를, 소용없는 짓인 줄 알면서도 다시금 사납게 헤집어 아이들이 만들어 놓은 굴이나 두꺼비집 따위를 허물어 버리고는 자전거에 올라탔다.

"누구든지 가져간 애는 내가 한바퀴 돌아올 때까지 갖다 놔. 안 그러면 가만 안 둘 테야. 난 누가 내 만화경을 훔쳐 갔는지 다 안단 말야."

그는 오한이 들 만큼 새하얀 햇빛, 질식할 듯한 정적 속을 마치 장님인 양 똑똑똑, 지팡이를 촉수처럼 더듬어 한 걸음씩 떼어 놓으며 위장의 미미한 움직임을 느꼈다. 그리고 그 움직임의 반동으로 그의 몸 속에 주렁주렁 매달린 크고 작은 주머니와 창자들이 꿈틀거리기 시작하는 것을 느꼈다. 낡고 무력하게 늘어진 주머니는 이제야 비로소 게으르게 제 기능을 생각해 내고 다소의 활기를 되찾은 것이다.

날이 더욱 뜨거워지면 그는 식욕을 돋우기 위해 필요하다고 스스로

처방한, 이십 분에서 삼십 분에 걸친 식사 전의 산책을 그만두어야 할 것이다.

그는 조금씩 숨이 차 하며 멈춰 서서 이마의 땀을 닦거나 길갓집 열린 창으로 꼼짝 않고 무겁게 드리워진 커튼을 유심히 바라보았다.

산책길은 늘 일정했고 그는 똑같은 모양의 낮고 작은 집들이 들어 찬 주택가의, 어쩌면 공포까지도 불러일으킬 정도로 단조로운 길과 풍경 따위, 망막에 들어오는 모든 것을 오랫동안 바라보곤 했다. 관찰이나 기억을 위한 목적이 없이, 바라본다는 의식조차 없이.

어쨌든 날이 더워지면 산책은 중단해야 될 것이다. 지나치게 좁아지거나 얇아지고 느슨해진 기관들은 더운 날씨를 견뎌 내지 못할 것이기에 여름내 그는 그늘에 내놓은 등의자에 앉아 그가 바라보기만으로 그친 풍경들을 떠올리며 지내게 될 것이다.

한껏 느릿느릿 걸었는데도 삼십 분에 걸친 산책을 마치고 집 가까이 올 무렵에는 웃옷 등에 축축이 땀이 배었다. 만족스러운 결과였다. 그는 자신의 나이에 이르면 땀이 흐를 정도의 운동은 무리라고 생각했기 때문에, 몸의 움직임은 언제나 땀이 그저 조금 배일 정도의 가벼운 운동으로 그친다는 것을 수칙으로 삼고 있었다.

그는 스스로 정한 몇 가지 규칙과 질서를 지키려는 노력으로 얻어지는 성과를 중요하고 가치 있게 여겼다. 하루하루가 마치 당기지 않는 입맛으로 억지로 숟갈질을 하는 듯하다고 생각하면서도 이 모든 것이 한순간에 정지될 날이 있으리라는 것을 결코 모르는 것처럼 육체와 생활을 지배하는 규칙과 리듬에 순종하는 기쁨을 느꼈다.

아내는 열두 사람분의 칼국수를 만들 밀가루 반죽을 준비했지만 심방은 취소되었다. 오랜 병을 앓던 교우가 방금 운명을 했기 때문에 가정 예배를 위해 교회를 나서던 그들은 곧장 종합병원 영안실로 간다는 전

같이 왔노라고, 산책에서 돌아온 그에게 말하며 아내는 상기도 함지 가득한 흰 반죽 덩어리에 두 손을 찔러 넣은 채 망연한 표정을 지었다.

이미 두 사람 몫으로는 지나치게 많은 반죽은 입이 넓은 함지의 전으로 넘칠 듯 부풀어오르고 있었다.

마루에는 국수를 썰기 쉽게 밀가루가 발린 도마며, 밀대, 국수 위에 얹을 색색의 고명이 담긴 채반 따위가 널려 있었다.

아내는 손님을 맞을 준비로 이른 아침부터 마당 청소를 하고 부엌과 마루에서 종종걸음을 쳤다. 아침상을 물린 뒤 부엌에서부터 들려오는 나지막한 도마 소리, 기름 타는 냄새, 바쁘게 오가는 아내의 발소리에 그는 불투명한 평안감에 잠겼던 것을 기억했다. 그것은 그 자신 이미 그런 종류의 활기에 새삼스러운 느낌을 갖는다고 믿지 않으면서도 어울려 살아 있음의 열기에 대한 기대, 혹은 일상적 삶에 대한 향수가 아니었을까.

그가 생각하듯 심방이 취소된 데 대한 아내의 실망은 그닥 큰 것이 아닐지도 몰랐다. 그는 아내에게 깊은 믿음이 돌연히 생겼다고 생각할 수는 없었다.

지난달의 일이던가, 집집마다 잠긴 문을 두드려 전도를 다니는 두 아낙네가 몹시도 힘들고 딱해 보였던지 아내는 쉬어 가라고 그네들을 불러들였고, 그것이 서너 시간에 걸친 교리 강좌가 되었다.

──죽음은 무의식입니다. 산 개만도 못하다고 했어요. 지옥이란 바로 죽음 자체이며, 글자 그대로 땅에 갇힌다는 뜻이지요.

방 안에 드러누운 그에게까지 그네들의 교리 강좌는 크게 들렸다.

"그저 좀 다리나 쉬었다 가랬더니……."

그들이 돌아가고 난 뒤 아내는 변명하듯 그에게 말했으나 다음 일요일에는 그네들의 회관에 나갔다. 그리고 그들은 첫 심방을 오기로 한 것이다.

땅 속에 갇힌 생명, 땅 속에 갇혀 아우성치는 빛들.

그가 영로를 땅에 묻은 것은 이십 년 전인가, 스무 살의 영로는 그가 살았던 세월만큼 땅에 갇혀 있다.

아내가 그의 점심 준비를 하기 위해서인 듯 자리를 뜨고도 꽤 오랫동안 그는 그대로 마루에 앉아 아내가 바라보던 뜰을 바라보았다. 아내의 눈길이 지나고 머물던 곳을 역시 아내의 눈이 되어 열심히 바라보았다. 뜰은 장미, 수국, 달리아 따위 여름꽃이 한창이었다. 정오의 햇살에 꽃잎은 한껏 벌어져 보다 짙은 빛의 속살을 엿보이고, 벌과 나비는 미친 듯한 갈망으로 꽃술 속 깊이 대롱을 박아 꿀을 찾고 있다. 꽃들은 피고자, 더욱 피어나고자 하는 열망으로 빛은 짙고 어두워지며 천천히 눈에 보이지 않게 몸을 떨고 있다. 그러나 그것은 이미 아내의 눈에 비치던 풍경이 아님을 그는 알고 있다. 땅 속에 갇힌 아우성을 들으려는 시늉으로 수굿이 귀를 기울이며 나무를 바라보는 사이 무성한 나뭇잎은 편편이 떨어져 내리고 메마른 가지만 섬유질로 남아 파랗게 인처럼 타오르며 자랑스럽게 가지 뻗었던 자리는 이윽고 냉혹한 죽음만이 떠도는 공간이 된다. 그 공간을 찢을 듯 날카로운 경적을 울리며 자전거는 대문 앞을 지나갔다. 그는 그럴 수만 있다면, 살같이 달려간 아이를 손짓해 불러 뒤돌아보게 하고 싶었다. 얘야, 들어와서 세수라도 하려무나. 뜨거운 햇볕 아래 온종일 자전거만 타다가는 뇌의 혈관이 부풀어오른단다. 할 수만 있다면 늙은이의 하찮은 친절로 그 애가 살아갈 동안 내내 잊지 못할, 칼빛처럼 독한 기억을 박아 주고 싶었다.

아내가 상을 차려 내왔다. 그는 여느 때처럼 칼국수에 소주 한 잔을 반주로 점심 식사를 했다. 국수는 색깔 맞춘 고명으로 잔뜩 치장을 했지만 아주 싱거웠다. 그는 전혀 간이 들지 않은 것을 모르는 듯 고개 숙이고 훌훌 국수올을 말아올리는 아내를 말없이 건너다보았다.

틀니 탓인가, 그러나 틀니를 한 것은 어제오늘의 일이 아니었다. 게다가 그는 틀니를 한 뒤 단단한 음식을 씹는 데 부담을 느끼게 되면서부터 점심에는 으레 칼국수를 먹었다. 아내의 칼국수 끓이는 솜씨는 나무랄 데 없었다. 그런데 늘상 해 오던 일이면서도 간장 넣는 것을 잊다니. 그리고 그것을 아무렇지도 않은 낯으로 먹는 아내에 대해 그는 자신의 역할에 게을러진 그의 몸 각 기관들에 대한 것과 비슷한 분노와 미움을 동시에 느꼈다.

"간장 좀 가져와."

그는 노여움을 누르고 말했다. 아내가 굼뜨게 일어나 간장 종지를 가져왔다.

이를 뽑고 틀니를 하고부터, 그리하여 음식을 씹고 맛보는 즐거움을 태반 잃게 되면서부터 그 자신 음식에 대해 까다로워졌다는 사실을 그는 인정하려 들지 않았다.

틀니라니. 그는 평생을 시청 하급 관리로 살아 왔다. 상사의 지시나 그의 부서에서 결정된 내용들을 기안하고 깨끗이 정서하는 것이 그에게 맡겨진 일의 거의 전부였다. 그는 글씨 쓰는 일을 좋아했고 결코 약자나 오자를 쓰지 않았다. 자신이 올린 서류가 결재가 난 뒤면 타이핑이 되어져 곧 휴지통에 버려진다는 것을 알면서도 그는 정확하고 반듯한 글씨에 기쁨과 긍지를 느꼈다.

그의 부서 책임자들은 그가 정리한 서류를 볼 때면 한결같이 말했다. 자넨 글씨가 좋군.

어느 날 갑자기 이빨들이 들뜨기 시작하고 잇몸이 퍼렇게 부풀어 이빨 뿌리가 드러났을 때, 결국 모조리 빼고 틀니를 해야 된다는 것을 알았을 때 그는 낭패감보다 심한 배반감과 노여움을 느꼈다. 그리고 이어

위장을 비롯한 몸의 모든 기관들이 무력해지는 증상이 나타났다. 의사는 말했다. 정년 퇴직 후에 흔히 오는 증상입니다. 갑자기 일손을 놓게 된 데서 오는 허탈감으로 육체도 긴장과 균형을 잃게 되는 겁니다. 말하자면 정년병이라고나 할까요.

누구에게나 찾아오는 일반적 현상이라는 의사의 말은 그에게 조금도 위안을 주지 못했다. 하긴 시말서 한 번 쓰지 않은 그도 정년이 되자 시간과 자리를 적당히 메우고 빈둥빈둥 보낸 사람들과 똑같이 궁둥이를 차밀리지 않았던가. 오래된 청사의 어둡고 환기 안 되는 방에서 몇십 년을 불평 없이 순응하며 살아 온 그도 틀니에만은 익숙해지기 어려웠다. 단단하고 차가운 이물질이 연한 잇몸을 옥물고 조이는 느낌에 대한 저항감은 언제까지고 지울 수 없었다.

점심상을 물린 그는 부드러운 헝겊에 치약을 묻혀 지팡이 손잡이 부분의 은장식을 닦았다. 어루만지듯 부드럽고 단순한 손놀림을 계속하는 동안, 그리하여 은의 빛이 보얗게 살아나는 것을 보는 사이 맛없는 국수와 아내와 틀니에 대한 노여움은 차츰 사라졌다.

다 닦은 지팡이를 신발장 옆에 세워 두고 마루로 올라앉아 무료히 뜰을 내다보던 그는 잠깐 졸았던 것일까.

문소리도 듣지 못했는데 뜰의 구석진 곳에서 검침원 청년이 쇠꼬챙이로 수도 계량기를 덮은 콘크리트 뚜껑을 열고 있는 중이었다. 아내는 이 편에 등을 보이고 쭈그리고 앉아 청년의 손이 움직이는 대로 아래를 내려다보고 있었다. 아내의 흰 머리와 앙상하게 굽은 등허리 위로 좀체 기울지 않는 한낮의 정적이 수은처럼 무겁게 얹혀 흐르고 있었다.

"에이, 귀뚜라미 좀 보세요, 할머니. 겨울 지나면 이런 걸 죄다 걷어 태워 버려야 벌레가 안 생겨요."

청년이 느닷없이 빛과 외기에 놀라 튀어오르는 귀뚜라미를 피해 고개를 젖히며 말했다. 지난 겨울, 동파를 막기 위해 계량기 위에 쏟아부은 등겨와 짚을 거두라는 말일 게다. 겨와 지푸라기 사이에서 겨울을 난 알에서 부화하여 어둡고 축축한 콘크리트 관 안쪽 벽에 붙어 자라는 벌레들을 그도 본 적이 있었다.

아내는 청년의 말에 말없이 머리를 끄덕였다. 아내의 머리는 호호백발이다. 그의 머리에 희끗희끗 새치가 비치기 시작했을 때 그는 문득, 그 때까지도 붉은 흙더미 위에 얹힌 성근 뗏장을 다독거리고 있는 아내의 머리가 허옇게 세어 있음을 발견했다.

청대처럼 자라던 아들을 죽이고 머리가 온통 세어 버렸다오. 아내는 집에 들인 장사치 아낙네들에게 가끔 말하곤 했었다. 그러면서도 언제나 조발과 염색에 신경을 쓰는 그에게는 변명하듯 말했다. 우리 친정이 원래 일찍 머리가 세는 내력이에요. 당신, 염색을 하시니까 보기 좋구려, 아주 젊은이 같아요.

흰 머리올이 드러나면서부터 그는 염색하는 일을 게을리하지 않았다. 틀니를 한 뒤 그는 희고 빛나는 이빨과 검고 단정한 머리칼로 더욱 젊어졌다. 가끔 그는 이제 마흔 살 된 영로를 바라보듯 거울 속의 자신의 얼굴을 오래 물끄러미 바라보곤 했다.

청년이 나가려 하자 우두커니 계량기를 굽어보던 아내가 말했다.

"더운데 잠깐 땀이나 들이고 가우."

"그럼 냉수나 한 그릇 주세요."

청년은 손수건을 꺼내 이마와 목덜미의 땀을 닦았다. 청년이 마루턱에 엉덩이를 걸치고 앉자 아내는 부엌으로 들어가 미숫가루를 한 그릇 타 왔다. 그 동안 청년이 가 버릴 것을 겁내는 듯 연신 숟가락으로 사발을 휘저으며 종종걸음으로 나오는 아내가 못마땅해서 그는 속으로 혀를 차며 중얼거렸다.

그러지 마라. 단지 수도 검침을 하러 다니는, 어디서나 만날 수 있는 평범한 젊은이일 뿐이야.

청년은 쉴 짬 없이 단숨에 그릇을 비웠다. 아내의 눈길이 청년의 완강한 목의 뼈와, 함부로 연 셔츠깃 사이로 엿보이는, 붉게 익은 가슴팍을 탐욕스럽게 더듬으며 허둥거리는 것을 그는 놓치지 않았다.

"잘 먹었습니다, 할머니."

청년이 입가에 흐르는 물기를 손등으로 닦고 입술을 빨았다.

먹는 버릇도 단정치 못해. 먹는 버릇을 보면 바탕을 알 수 있다니까.

그는 또 무력하게 속엣말을 중얼거렸다.

청년은 생각난 듯 마당을 질러가 열려진 채로인 수도관의 콘크리트 뚜껑을 닫았다. 검침원들은 누구든 열어젖힌 뚜껑을 닫아 주고 가는 법이 없었다. 그들은 한결같이 자신의 직업에 대한 경멸처럼 쇠꼬챙이로 마지못해 뚜껑을 열어젖혀 계기의 숫자를 확인하고는 그대로 가 버렸다. 아내는 몹시 힘들게 끙끙거리며 그것을 닫곤 했다.

"이 봐요, 젊은이. 내 부탁 하나 들어 주려우?"

아내가 막 대문을 나가려는 청년을 불러 세웠다. 그리고 청년의 대답을 듣지 않고 벌써 광으로 들어가 무거운 연장통을 두 팔로 안고 나왔다.

청년은 빤히, 다소 무례한 눈길로 아내와, 아내가 허리가 휠 듯 무겁게 들어다 놓은 연장통을 번갈아 바라보았다.

음흉한 늙은이 같으니라구, 미숫가루 한 그릇 값을 톡톡히 받으려는 모양이군 하는 표정이었다. 아내는 그러한 청년의 기색을 짐짓 모른 체 느릿느릿 말했다.

"빨랫줄이 높아서 말야, 좀 나지막이 줄을 매 줘요. 빨래 널기가 여간 힘들어야 말이지. 늙은이들만 사는 집이라 통 손이 없어서 그런다오."

"허지만 더 낮게 매면 빨래가 끌릴 텐데요. 애들 줄넘기나 하려면 모를까."

청년이 내키지 않는 기색으로 팔짱을 낀 채 연장통을 들여다보았다.

"그리고 온통 녹슨 못들뿐이잖아요? 할머니가 원하시면 해 드리는 건 어렵지 않지만 괜한 일 같은데요. 더 낮게 매면 어디 빨랫줄 구실을 하겠어요?"

청년은 연장통을 뒤져 녹이 덜 슨 못과 망치를 찾아 들었다. 못이 모두 녹슬어 있을 것은 당연했다. 망치·장도리·작은톱·대패까지 고루 갖추어진 연장들은 그 스스로 장만한 것이면서도 오랫동안 쓰지 않았던 탓에 낯설었다.

"그래, 요기는 하고 다니우?"

못을 박는 청년에게 아내가 물었다.

"그러문요."

청년이 입에 문 못 때문에 우물우물 대답했다. 못 두 개 박는 일은 순식간에 끝나고, 아내의 요구대로 먼젓번보다 한 뼘 정도나 낮춰진 높이에 마당을 가로질러 팽팽히 줄이 매어졌다.

줄은 그가 보기에도 너무 낮았다. 아마 오늘 오후나 내일쯤, 아내는 오며 가며 줄이 목에 받친다고 불평하며 거두어 버리느라 애를 쓸 게 분명했다.

"이렇게 수고를 해 줬는데 어쩌지? 그다지 바쁜 게 아니라면 요기나 하고 가우. 내 금세 국수를 끓여 줄게."

아내가 함지에 담겨 아직도 마루 한 귀퉁이에 놓인 채로인 밀가루 반죽을 흘깃거리며 말했다.

누룩을 넣은 것도 아니련만 더운 날씨 탓인가, 반죽은 미친 듯 부풀어오르는 것처럼 보였다.

"여러 집을 돌아다녀야 합니다."

"이렇게 종일 걸어다니려면 힘들겠수. 다리는 좀 아플까."

"제발 개들이나 묶어 놓았으면 좋겠어요."

갑자기 청년은 못 견디게 화가 치밀어오르는 듯 볼멘소리로 대답하고는 침을 찍 뱉었다.

"바지 찢기는 건 예사고 자칫 발뒤꿈치 물리기 십상이라구요."

청년의 뒤를 문빗장을 걸기 위해서인 듯 아내가 멈칫멈칫 따라나갔다.

집 안은 다시 고요해졌다. 뜰의 나무 그림자가 조금 길어진 것으로 보아 햇빛과 시간이 흐르고 있음을 알 수 있을 뿐이었다. 빗장 걸리는 소리도, 아내의 신발 끄는 소리도 들려오지 않았다. 대신 탈, 탈, 탈, 탈, 한결 속도를 늦춘 맥빠진 자전거 바퀴 소리가 들려왔다.

아내가 망연히 문설주를 짚고 서서 바라볼 길목을 더위에 지친 아이는 이미 만화경 따위는 까맣게 잊은, 다만 싫증을 참지 못해하는 얼굴로 자전거를 끌고 느른히 걸어가고 있은 것일까.

그는 방으로 들어갔다. 그리고 의자를 끌어당겨 책상 앞에 앉았다. 책상은 창가에 놓여 있어 담 밖의 소리나 풍경이 훨씬 가까웠고 그는 오랜 버릇으로 의자에 앉는 것이 편했기 때문에 자주 희미한 잉크 자국이며 칼에 파인 흠이며 긁힌 자국들을 손으로 쓸어 보며 우두커니 앉아 있곤 했다.

영로가 중학교에 다닐 때 마련한 책상이었다. 그리고 그는 무엇을 읽거나 쓰기 위해 책상 앞에 앉는 일은 거의 없었지만, 층층이 달린 서랍이 요긴하게 쓰인다는 것이 이제껏 그것이 방의 윗목에 적지 않은 자리를 차지하고 있을 수 있는 이유였다.

그는 빈 담뱃갑의 은박지를 벌려 꽃 모양으로 말아 접어 가래를 뱉고 수도 요금과 전기 요금 영수증, 돋보기 따위로 채워진 서랍들을 여닫고 손톱깎이를 꺼내 찬찬히 손톱을 깎았다.

마루를 서성이는 아내의 조심스러운 발소리가 들렸다. 손톱을 깎고 서랍을 여닫는 일이 특별히 비밀스러워야 한다고 생각지 않으면서도 그는 아내의 발소리가 방문 앞을 지나칠라치면 흠칫 놀라 손을 멈추었다. 이젠 늙어 귀신이 다 되었다고 집의 한구석에 가만히 앉아 있어도 집안 곳곳에서 일어나는 일을 모두 보고 들을 수 있다는 아내도, 그가 비듬을 털고 손톱을 깎고, 억지로 책상 앞에 앉은, 숙제 하기 싫은 아이들처럼 서랍이나 여닫는 것을 결코 알지 못하리라는 생각 때문에 아내 모르게 행하는 하찮은 손짓 하나라도 대단한 음모인 양 바깥 기척에 귀를 기울이게 되는 것이었다.

아내의 발소리가 마루에서 완전히 사라졌음을 확인하고, 그는 책상 서랍 깊숙이 넣어 두었던 만화경을 꺼냈다. 그것은 두꺼운 마분지를 원통형으로 말아붙인 것으로 표면에는 울긋불긋 크레파스 칠이 되어 있었다.

그는 만화경을 눈에 갖다 대고 빙글빙글 돌렸다. 잘게 자른 색종이 조각들이 거울면의 굴절에 따라 모였다 흩어지며 여러 가지 꽃 모양을 만들었다.

만화경 속의 조화는 현란하지도 신기하지도 않았다. 홑잎과 겹잎 꽃의 단순한 집합과 확산일 뿐이었다. 옛사람들은 만화경을 돌리며 우주의 원리와 이치를 본다고 했다.

엊그제였던가, 점심 산책에 나선 그가 주택가 골목을 벗어나 큰 길에 이르렀을 때 그는 주위를 집요하게 맴돌며 따라오는 빛무늬를 보았다. 어깨와 다리, 가슴팍에 함부로 와 닿는 빛을 털어 내며 눈살을 찌푸렸으나 하얗게 번뜩이는 그것이 길과 사람들 사이로 정령처럼 춤추며 뛰어다니다가 다시금 그에게로 되돌아와 얼굴에 오래 머무르자 그는 문득 얼굴이 졸아드는 공포를 느꼈다. 센 빛살에 눈을 뜨지 못하며 그는 소리쳤다. 누구냐, 거울 장난을 하는 게? 그 때 쨍쨍한 목소리가 날아왔다. 안녕하세요, 할아버지. 아이가 미장원 층계에 앉아 있었다. 아이의 손에는 날카롭게 모가 선 거울 조각이 들려 있었다. 다치면 어쩔려고 그러니? 그러나 아이는 말했다. 유리 가게에 가서 동그랗게 잘라 달라고 하면 된대요. 내일 유치원에서 만화경을 만들 거예요. 만화경은 뭐든지 다 보이는 요술 상자래요. 그러면서 아이는 길을 건너 달려갔다. 뭐든지 다 보인다고? 그는 아이의 등 뒤에 대고 물었으나 물론 진정한 호기심은 아니었다. 단지 의미없는 되물음이었을 뿐이었다. 그리고 어제 낮, 그는 놀이터의 벤치에서 그 애의 가방과 함께 놓인 만화경을 보았다. 집으로 오는 동안을 참지 못해 도중에 유치원 가방을 팽개쳐 두고 자전거 가게로 달려가는 그 애의 버릇을 그는 알고 있었다. 아이는 이 요술 상자를 통해 무엇을 들여다보았을까? 그는 아이의 눈이 되어 아이의 눈에 비친 모든 것을 보고자 하는 욕망으로 만화경을 집어들었다. 그것을 품에 감추고 어제 오후 내내 그는 잃어버린 만화경을 찾기 위해 헛되이 모래더미를 헤치는 아이를 지켜보았다. 내 만화경을 누가 훔쳐갔어요. 전시회에 낼 거라고 선생님이 그랬는데요. 아이는 울면서 벌써 수십 번이나 들여다보았을, 가방과 만화경이 놓였던 긴 의자 밑을 다시 들여다보았다.

뭐든지 볼 수 있대요. 그는 아이의 말을 흉내내어 중얼거리며 빠르게 만화경을 돌렸다. 돌리는 속도가 빨라짐에 따라 유리와 거울과 색종이가 어울려 모였다 흩어지는 모양이 다양해졌다. 그것은 어쩌면 빠른 속도로 분열하고 번식하는 병원균과도 같았다. 색종이의 선명한 색감 때문인지도 몰랐다.

그는 만화경을 서랍 속에 넣고 목욕탕으로 가기 위해 방을 나왔다.

아내는 마루 끝에 걸터앉아 밀가루 반죽을 한 움큼씩 떼어 손바닥 안에 궁글려 무엇인가 형체를 빚고 있었다.

"뭘 만드오?"

"그저 장난이에요."

아내가 쑥스럽게 웃으며 빚고 있던 모양을 뭉개어 버렸다. 마루턱에는 벌써 사람·개·말 따위가 손가락만한 크기로 서툴게 빚어져 있었다. 목욕탕으로 들어간 그는 틀니를 빼기 위해 문을 잠갔다.

틀니에 익숙해지려면 되도록 틀니를 빼지 말고 자신이 틀니를 하고 있다는 사실을 의식치 말라고 의사는 말했지만, 그는 언제나 틀니를 빼어 깨끗한 물에 담가 손 닿는 위치에 두고서야 잠이 들곤 했다. 잠으로 들어가는 잠깐의 무중력 상태에서 틀니만이 매달려 있는 듯한 느낌을 지울 수 없을뿐더러 틀니만이 홀로 깨어 제멋대로 지껄일, 이윽고 육신은 사라지고 차갑고 단단한 무생물만이 잔혹하게 번득이며 존재할 공간이 두려운 것이다. 이야기를 하고 있을 때조차 그는 자신이 말하고 있는 것이 아니라 틀니가 제멋대로 덜그럭거리며 지껄이는 듯한 느낌에 사로잡혀 자주 말을 끊곤 했다.

틀니를 빼내자 거울 속으로 꺼멓게 문드러진 잇몸이 드러났다. 연한 잇몸은 틀니의 완강함을 감당하지 못해 이지러지고 뭉개지고 졸아들었다. 때문에 틀니를 빼내었을 때의 입은 공허하고 냄새나는, 무의미하게 뚫린 구멍에 지나지 않았다. 잠긴 문을 확인하고 마치 헛된, 역시 덧없음을 알면서도 순간에 지나가 버릴 것에 틀림없는 작은 위안을 구해 자신의 시든 성기를 쥘 때와 같은 음습하고 쓸쓸한 쾌락과 수치를 동시에 느끼며 틀니를 닦기 시작했다. 치약 묻힌 칫솔로 표면에 달라붙은, 칼국수를 먹고 난 뒤의 고춧가루 따위의 찌꺼기를 꼼꼼히 닦아 내자 틀니는 싱싱하고 정결하게 빛났다. 틀니의 잇몸은 갓 떼어 낸 살점처럼 연분홍

빛으로 건강해 보였다. 그는 헐떡이며, 치약 거품을 가득 물고 허옇게 웃고 있는 이빨들을 바라보았다. 거울 속으로, 청년처럼 검은 머리는, 무너진 입과 졸아든 인중, 참혹하게 파인 볼 때문에 더 젊어 보였다.

방으로 돌아온 그는 틀니가 담긴 물컵을 머리맡에 놓고 퇴침을 베고 누웠다. 잠에 빠지는 과정은 언제나 어둑신하고 한없이 긴 회랑을 걸어가는 것과도 같았다. 어쩌면 이미 혼백이 되어 연도를 걸어가는 것이나 아닐까.

열린 방문으로 아내의 모습이 빤히 보였다. 혼곤하게 빠져드는 가수상태에서 아내의 손은 반죽을 궁글려 몸체를 만들고 귀와 뿔을 세우고 꼬리와 다리를 만들어 붙였다. 그가 한 번도 본 적이 없는 이상한 형체였다.

아내는 그것을 이미 만들어진 다른 것들과 나란히 볕이 드는 마루턱에 세우며 웅얼웅얼 낮게 중얼거렸다. 할아버지는 돌아가실 때까지 흉몽에 시달리셨다우. 머리가 깨질 듯 아프다고 했어요. 흉몽 때문에 머리가 아픈 건지, 머리가 아파서 나쁜 꿈만 꾼 것인지는 그 분 자신도 몰랐어요. 무당을 불러 푸닥거리를 하고 장님에게 경을 읽히기도 했지만 그 무서운 두통을 낫게 하지는 못했어요.…… 이름난 대목이었다는 아내의 조부 이야기는 그도 몇 차례인가 들어 알고 있었다.…… 새벽이고 밤중이고 흉한 꿈에 눌려 비명을 지르고 깨어나면 머리가 아파서 미친 사람처럼 온 집 안을 뒹굴며 다녔지요. 할머니는 그 양반이 묏자리에 집을 많이 지어 그런 거라고 말했지요. 그는 회랑의 어슴푸레한 모퉁이에서 흰 끈을 머리에 동이고 비명을 질러 대는 등 굽은 노인의 뒷모습을 본다.…… 그래서 할아버지는 이상한 짐승의 모양을 손칼로 깎았지요. 코끼리 같기도 하고 곰 같기도 하고 아무튼 참 이상한 모양이었지요. 맥이라던가, 나쁜 꿈을 먹는 짐승이래요. 중얼거리는 동안에도 아내의 손이 쉬임없이 반죽을 떼어 내어 형체를 만들고 있었다.…… 할아버지는 그것을 타구와 함께 머리맡에 두었어요. 때문에 타구에 가득 괸 가래침은 마치 맥이 밤새 먹고 이른 새벽에 토해 놓은 흉몽과 같았지요. 할아버지는 관 속에 맥을 같이 넣어 달라고 유언을 하셨어요. 죽은 후에도 나쁜 꿈을 꾸는 걸까. 어린 내게는 그것이 퍽 이상했는데 지금은 할아버지가 그러셨던 걸 이해할 수 있어요. 옛날 사람들은 자기가 쓰던 물건, 부리던 하인들의 모양까지 흙으로 빚어 무덤 속에 같이 넣었다잖아요? 아내의 조부는 이제 길고 희미한 시간의 회랑 끝에서 편안히 잠들어 있다. 머리맡에 맥을 세워 두고. 어쩌면 그에게 최면을 걸듯 느릿느릿 낮게 읊조리는 아내의 말소리에 손을 잡혀 그는, 더러는 어슴푸레 떠오르는 시간 속을 자꾸 걸어간다. 그것은 마치 감광제가 고루 발리지 않은 필름과도 같다. 어느 부분은 저 홀로 발광체인 듯 환히 빛나며 뚜렷이 떠오르고, 어느 부분은 아주 깜깜해서 아무것도 보이지 않는다. 그러나 그는 굳이 잊혀진 것을 되살리고자 안타까워하지 않는다. 기억하고 싶은 것만 기억하는 것은 늙은이에게 주어진 보잘것없는 특권인 것이다. 그러나 그가 지금 주춤거리고 섰는 이 곳은 어디인가. 언젠가 가 보았던 박물관의 전시실 같기도 했다.

그것은 토우나 동경 따위 죽은 사람들의 부장품들만을 진열한 방이었다. 땅 속에 묻혀 천 년 세월을 산, 이제는 말끔히 녹을 닦아 낸 구리거울을 보자, 그는 자신이 아주 오래 전에 죽은 옛사람인 듯 느껴졌다. 관람객이 한 명도 없이 텅 빈 전시실에는 두꺼운 양탄자가 깔려 있어 자신의 발소리조차 들리지 않았었기 때문이라고, 어둡고 눅눅한 회랑을 걸어나오며 그는 잠깐 스쳐간 괴이한 기분에 대해 변명하였다.

영로를 물었을 때 그는 그가 묻고 돌아선 것이, 미쳐 가는 봄빛을 이기지 못해 성급히 부패하기 시작한 시체가 아니라 한 조각 거울이었다고 생각했었다.

"할머니, 뭘 만드세요?"

마루 앞마당에 짧게 그림자가 드리우며, 일부러 그러는 듯 혀 짧은 소리가 들렸다. 흰빛 레이스천의 원피스로 갈아입은 옆집 계집아이였다. 그는 가수 상태에서 빠져나오고자 힘겹게 허위적거리며 있는 힘을 다해 아이를 바라보았다.

자전거타기에 싫증이 난 것일까, 아이는 인형을 꼭 안고 한 손에는 소꿉놀이가 든 플라스틱 바구니를 들고 있었다.

"유치원에 갔다 왔니?"

아내는 여전히 기괴한 동물의 형상을 빚으며 냉랭하게 물었다. 아내는 언제나 수상쩍어하는 눈길로 아이를 바라보았다. 아내는 무엇이든 의심했다.

"오늘은 안 가는 날이에요. 토요일이거든요."

"예쁜 옷을 입었구나."

"우리 엄마가 사 주셨어요."

아이는 또 꾸민 듯 혀 짧은 소리로 대답했다. 그는 아이를 바라보았다. 있는 힘을 다해 예쁘다고 생각하려 하며. 그러나 언제나처럼 실패하고 만다.

햇빛을 받아 금빛으로 더욱 빛깔 엷어진 눈과 도끼날처럼 뾰죽한 얼굴은 조금도 예쁘지 않았다. 제 살림인 소꿉놀이 바구니를 들고 마당을 걸어가는 뒷모습이나 인형을 안고 그 애의 집 마당에서 그네를 타는 모습은 언제나 좀 고독해 보일 뿐이었다. 아이가 타지 않을 때라도 그네는 삐걱삐걱 저 혼자 흔들리곤 했다.

그는 자주 담 너머로 함지에 받아 놓은 물에 들어가 첨벙거리는 아이를 보았다.

그 애는 햇볕이 내리쬐는 마당에서 발가벗고 함지의 물을 튕기며 놀았다. 뒷덜미로 늘어진, 옥수수 수염처럼 노랗고 숱 적은 머리털, 짧고 돌연한 웃음소리, 임부처럼 불룩 나온 배와 분홍빛의 작은 성기를 그는 장미꽃 덩굴이 기어간 담장 곁에 숨어 서서 거의 고통에 가까운 감정으로 바라보곤 했다.

"할머니, 뭘 만드세요?"

아이는 옷의 레이스가 충분히 팔랑거릴 정도로 몸을 흔들며 거듭 물었다. 거부당하고 거절당하는, 사랑받지 못한 아이가 본능적으로 일찍 터득한 교태로.

아이는 빙그르르 몸을 돌려 원피스 자락을 꽃잎처럼 활짝 펴며 선 자리에서 그대로 쪼그리고 앉았다.

"이상하게 생겼네요, 할머니."

아이가 앉은걸음으로 이마를 대일 듯 아내에게 다가앉았다.

"맥이란다. 나쁜 꿈을 먹는 짐승이야."

"할머니도 나쁜 꿈을 꾸어요? 나는 언제나 무서운 꿈을 꾸어요."

아이는 손 닿는 곳에 핀 채송화를 따서 손가락으로 비볐다.

"왜 꽃을 뜯니?

아내가 나무랐으나 아이는 못 들은 체 계속 달라붙는 듯한 어조로 말했다.

"새처럼 막 날아가다가, 참 나는 새가 아닌데 떨어지면 어쩌나 하는 생각이 들면 곧장 거꾸로 떨어져 버려요. 얼마나 무서운지 몰라요."

"키가 크려고 그러는 거다. 자기 전에 오줌을 누지 않아도 나쁜 꿈을 꾸게 되지."

아이는 또 달리아 한 송이를 뚝 꺾어 발로 문질렀다.

"그러지 말라니깐."

아내가 버럭 소리를 질렀다. 아이는 심술궂은 눈빛으로 빤히 아내를 바라보았다.

"몇 번을 일러야 알아듣니? 착한 아이는 꽃을 꺾지 않는다."

아내가 화를 누르느라 한층 나직하고 단호하게 한 마디씩 내뱉는 사이에도 아이는 수국과 백일홍을 잡아 꺾었다.

"너는 정말 말을 안 듣는구나. 못된 아이야. 혼 좀 나야 알겠니?"

아내가 아이를 때릴 듯이 한 손을 치켜들고 눈을 부라렸다. 그러나 곧 아이가 겁에 질린 표정으로 안길 듯이 다가들었기 때문에 맥없이 손을 떨어뜨렸다.

"난 어떤 때는 이불이 한없이 두껍게 부풀어올라 덮씌워서 숨도 쉴 수 없어요. 아무리 울고 소리를 질러도 우리 엄마는 듣지 못해요."

아이는 호소하듯 떨리는 목소리로 말했다.

"그건 꿈을 꾸는 것이 아니라 가위눌리는 거란다. 이걸 가져다가 잘 때는 꼭 머리맡에 놓고 자거라. 그럼 괜찮을 거다."

"고마워요, 할머니."

아이는 아내가 준 맥을 소중히 받아들었다. 신전의 기념품인 양, 혹은 뿌리를 보이면 죽는다는 모종을 옮기듯 조심스럽게 손바닥으로 감싸쥐고.

"애야, 옷이 더러워졌구나."

인형과 소꿉놀이 바구니, 그리고 맥을 들고 마치 징검다리를 건너가듯 조심스럽게 걸어가는 아이의 뒤에 대고 아내가 말했다. 뒤돌아 원피스 뒷자락에 넓게 쓸린 흙자국을 보자 아이는 울음을 터뜨렸다.

"새옷을 더럽히면 엄마한테 매를 맞아요. 유치원에서 생일 잔치를 할 때까지는 절대로 꺼내 입지 말라고 했단 말예요."

"이리 온, 내가 털어 줄게. 그러길래 아무 데나 함부로 주저앉는 게 아니란다."

아이의 느닷없는 울음에 담긴 공포가 그리도 절박하고 생생한 것에 놀란 아내가 손짓해 불렀으나 아이는 가까이 오지 않았다. 손에 들고 있던 맥을 팽개치고 마음 가득한 원망과 두려움으로 닥치는 대로 꽃을 잡아뜯었다.

"이런 망할 계집애, 손모가지를 분질러 놓을라."

아내는 벌떡 일어나 아이를 쫓아갔다. 아이는 달아나면서 여전히 높은 소리로 울어 대었다. 울음소리가 담장의 샛문으로 쫓겨가자 아내는 씨근거리며 마루턱에 다시 걸터앉아 한결 거칠어진 손놀림으로 반죽을 떼어 내어 주물렀다.

대문 돌쩌귀가 삐걱거리고 움직이는 소리가 들리는 것 같았다. 누가 왔는가. 어쩌면 그네 소리일까. 아이가 저희 집 마당에서 그네를 타고 있는지도 모른다고 그는 생각했다. 그러나 아내는 전혀 아무 소리도 못 들은 기색이었다. 그의 귀에 들리는 것이 그녀의 귀에는 들리지 않는, 아내에게 보이는 것이 그에게는 전혀 보이지 않는 경우란 드문 것이 아니었다.

한밤중에도 가끔 그는 그네가 삐걱거리는 소리를 듣곤 했다. 아내는 퉁명스레 코대답을 하며 돌아누웠다. 어린애가 웬 청승으로 밤에 그네를 탄다우? 그러나 그는 종내 어지러운 꿈의 자락에 이끌리듯 밖으로 나와 담장 곁에 붙어 서서, 사랑에 빠진 자의 어리석음으로 바람만 실린 빈 그네의 흔들림을 오래 바라보곤 했다.

아내는 지칠 줄 모르고 반죽을 빚어 맥을 만들고 있었다. 늙은 여자의 잠을 어지럽히는 나쁜 꿈은 무엇일까. 늙으면 누구나 잠은 얕고 꿈은 많은 법이다.

해그늘이 많이 옮겨져 나무 그림자들이 제법 길어졌다.

아내의 흰머리와 머리 너머 붉은 꽃과, 눈 속에서 파랗게 타오르는 나무를 보며 취한 듯 또다시 얕은 수면에 빠져드는 그의 귀에 찢어지게 높고 새된 아이의 노랫소리가 담을 타고 들려왔다.

뻐꾹, 뻐꾹, 봄이 왔네. 뻐꾹, 뻐꾹, 복사꽃이 떨어지네.

"망할 계집애, 단단히 버릇을 고쳐 놓아야지."

아내는 아직도 아이에 대한 화를 풀지 못해 씨근거렸다. 설핏 빠져드는 잠에 무겁게 내려앉은 눈꺼풀 위로 아이의 노랫소리는 빛살처럼 집요하게 달라붙었다.

꽃모가지를 손 닿는 대로 몽땅몽땅 분질러 버리고 마니…… 중얼거리던 아내가 동의를 구하듯 그를 큰 소리로 불렀다.

"주무시우?"

그는 안간힘을 쓰듯 간신히 눈을 떠 아내를 쳐다보았다.

"밤에 잠들려면 낮에 운동을 해야 해요. 점심때 반주를 드는 대신 식사를 하고 나서 또 산책을 해 보세요."

아내의 말이 맞을지 몰랐다. 늘어진 위장은 이제는 점심에 곁들인 소주 한 잔으로는 꼼짝도 하지 않았다. 아내는 그의 대답을 기다리지 않고 큰 소리로 이어 말했다. 아내의 목소리는 엉뚱한 활기에 차 있었다. 딱히 무슨 말을 하고 싶어서라기보다 그치지 않고 들려오는 노랫소리를 지우기 위한 안간힘인 듯도 싶었다.

"참 이상하죠. 난 요즘 자주 죽은 사람들 생각을 한다우. 꼭 아직도 살아 있는 것처럼 그 사람들 생전의 일이 환히 떠오르는 거예요. 그러면서 정작 우리가 살아온 세월은 기억이 나지 않아요. 아무리 애를 써도 기억나지 않는 희미한 꿈 같아요. 당신은 쉰 살 때, 마흔 살 때를 기억하세요? 난 통 그 때의 당신의 모습이 떠오르지 않아요. 난 아무래도 너무 오래 살고 있다는 생각이 자꾸 들어요. 뜰 손질도 이제 힘이 들어요. 하지만 하루만 내버려 둬도 아귀처럼 자라니…… 요즘 같은 계절엔 더 그래요."

더욱 높아지는 노랫소리에 잠깐 말을 끊었다가 아내는 한층 커다란 목소리로 말을 이었다.

"내버려 두라고, 예전에 그 애는 그랬었죠. 굳이 꽃과 풀을 가려서 뭘 하느냐고. 어울려 자라는 것이 더 보기 좋다고요."

그의 얼굴에 미소가 떠올랐다.

"당신이 쉰 살 땐 어땠지요? 마흔 살 때는? 서른 살 때는? 통 기억이 안 나요. 말해 줘요."

아내는 마치 그에게 최면을 거는 듯 안타깝고 집요하게 캐묻고는 미처 그에게서 대답이 나올 것을 두려워하여 재빨리 덧붙였다. 아내의 목소리와 담 너머 아이의 노랫소리는 다투어 연주하는 악기의 불협화음처럼 높고 시끄러웠다.

"스무 살 때는 아름답고 자랑스러웠어요. 대학에 들어가던 해였지요. 어제처럼 또렷이 떠오르는걸요. 늘 발이 가렵다고 했지요."

그는 더이상 아내의 말을 듣고 싶지 않았다. 영로는 늘 발이 가렵다고 했었다. 그의 륙색 위에 얹혀 떠났던 피난길에서 걸린 동상이 종내 낫지를 않아 겨울밤에라도 콩자루 속에 발을 넣고 자야 시원하다고 했었다.

"기억나세요? 시공관에 발레 구경을 갔던 게 다섯 살 때일 거예요. 그 때 그 애는 내 숄을 잃어버렸어요. 그 시절 일본인들도 흔하게 갖지 못했던 진짜 비단으로 만든 거였지요. 구경을 하고 나와 화장실에 들르려고 잠깐 그 애 어깨에 걸쳐 주었는데 흘러내리는 것도 몰랐었나 봐요. 그 앤 그렇게 멍청한 구석도 있었죠. 모두들 내게 가지색이 신통하게 어울린다고 했지요. 정말 내 평생에 두 번 갖기 어려운 물건이었죠."

아내는 언제까지 잃어버린 솔 애기만 할 것인가. 아내의 말소리도 맥을 만드는 손놀림도 점차 빨라졌다. 반죽이 담긴 함지는 비어 가고 마루턱에는 아내가 빚어 놓은 맥이 더 늘어 놓을 자리가 없을 만큼 즐비했다.

"겨우 스무 살이었어요. 스무 살에 뭘 안다고. 여드름이나 짤 나이에 세상을 뒤바꾸어 놓을 수 있다고 생각하다니요. 그 애가 죽었어도 우린 여전히 이렇게 살고 있잖아요."

영로는 어느 봄날 바람개비처럼 달려 나갔다. 채 자라지 않은 머리칼을 성난 듯 불불이 세우고.

늙은이는 반성하지 않는다. 반성을 요구하는 어떤 새로운 삶을 기다리고 있지 않기 때문이다.

높고 찢어질 듯 날카로운 노랫소리가 점점 커졌다.

뻐꾹뻐꾹 봄이 왔네. 뻐꾹뻐꾹 복사꽃이 떨어지네.

"정말 못된 계집애예요."

아내가 입을 비죽이고 느닷없이 울기 시작했다.

"애들은 다 마찬가지요."

틀니를 뺀 텅 빈 입으로 말해야 한다는 것에 곤혹을 느꼈지만 그는 간신히 한 음절씩 내뱉었다.

"아니오. 죽은 애들은 특별해요."

아내는 두 손으로 얼굴을 가리고 소리내어 흐느꼈다.

"할머니, 뭘 만드세요?"

울음기가 말짱히 없어진 얼굴로 아이가 아내 앞에 서 있었다.

"저리 가라."

아내는 손을 사납게 내저어 아이를 쫓았다.

"할머니, 왜 그러세요? 왜 울어요?"

"다시는 우리 집에 오지 말라니깐."

"할머니, 이건 만화경을 만들 거울이에요. 우리 엄마가 주셨어요. 유치원에서 만든 걸 누가 훔쳐 갔거든요."

아이는 까딱 않고 서서 콤팩트를 열어 동그란 거울을 아내에게 내보이며 자랑스럽게 말했다.

"거짓말 마라, 아직 새것인데 네 엄마가 주었을 리 없어. 네 엄마는 지금 미장원에 있잖니? 엄마 화장품에 함부로 손을 대었다가는 또 매를 맞을 거다."

사납게 눈을 치뜨고 아내를 노려보던 아이가 햇빛 환한 마당으로 뛰어갔다. 그리고는 이리저리 거울을 돌려 아내에게 비추었다. 아내가 눈이 부셔 얼굴을 가리며 손을 내저었다.

"저리 비켜."

그러나 아이는 생글생글 웃을 뿐 거울을 거두지 않았다.

"저리 치우라니까. 이 망할 계집애야, 네 엄마한테 이를 테다."

"일러라, 찔러라, 콕콕 찔러라."

아이는 마당에서 공처럼 뛰어다니며 거울을 비췄다. 아내는 겁에 질려 마루로 올라왔다. 거울 빛은 마루턱에 늘어서 하얗고 단단하게 말라가는 짐승들을 지나 재빠르게 아내의 얼굴에 달라붙었다. 구겼다 편 은박지처럼 빈틈없이 주름살 진 얼굴이 환히 드러났다.

"애, 애야, 제발 저리 가. 그러지 마라."

아내가 우는 소리를 내며 아이에게 애원했으나, 아이는 아내의 돌연한 공포가 재미있는지 작은 악마처럼 깔깔거리며 거울을 거두지 않았다. 아내는 빛을 피해 그가 누워 있는 방에 주춤주춤 들어왔다.

빛은 이제 눈물에 젖은 아내의 조그만 얼굴과 그의 눈시울, 무너진 입가로 쉴새없이 번득였다. 그것은 어쩌면 아득한 땅 속에 묻힌 거울

빛의 반사일 듯도 싶었다.

아이는 보다 재미있는 놀이를 찾아낼 때까지 손에서 거울을 놓지 않을 것이다. 아마 햇빛이 완전히 사월 때까지, 피곤한 그 애의 엄마가 돌아오는 밤이 되기까지, 그러나 아이에게 늙은이를 무력한 공포에 몰아넣는 것보다 더 재미있는 놀이가 있을까.

이미 뜰은 그늘에 잠겨 있고 땅에서 피어오르는 엷은 어둠으로 꽃은 짙은 빛으로 잎을 오므리기 시작했지만, 피어 있던 꽃의 공간이 침묵과 심연으로 가라앉기까지의 보이지 않는 흐름은 얼마나 길고 오랠 것인가.

이제는 울음을 감추려 하지 않는 아내에게 그는 무언가 위무의 말을 해 주어야 한다고 생각했다. 아내에게는 다정한 말이 필요한 것이다. 그는 소년 같은 수줍음과 약간의 두려움으로 입을 열었으나, 아내는 어눌하게 새어나오는 말을 알아듣지 못했다. 아내는 유언이라도 듣는 시늉으로 그의 입에 귀를 갖다 대며 안타깝게 되물었다. 뭐라구요? 뭐라고 하셨어요? 누가 왔느냐구요?

그는 칠흑처럼 검은 머리를 하고 이제는 더이상 말할 수 없는 무너진 입을 반쯤 벌린 채 누워 있었다.

거울 빛의 반사가 잠시 천장으로, 벽으로 재빠르게 움직이다가 마침내 유리컵에 머물고 밖의 빛으로 어둑신하게 가라앉은 정적 속에서, 물 속에 담긴 틀니만이 홀로 무언가 말하려는 듯 밝고 명석하게 반짝거렸다.

소음 공해

집에 돌아오자마자, 뜨거운 물로 샤워를 하고 실내복으로 갈아입었다. 목요일, 심신 장애인 시설에서 자원 봉사자로 일하는 날은 몸이 젖은 솜처럼 무겁고 피곤하다. 그래도 뇌성마비나 선천적 기능 장애로 사지가 뒤틀리고 정신마저 온전치 못한 아이들을 씻기고 함께 놀이를 하고 휠체어를 밀어 산책을 시키는 등 시중을 들다 보면, 나를 요구하는 곳에서 시간과 힘을 내어 일한다는 뿌듯함이 있다. 고등학생인 두 아들은 아침에 도시락을 두 개씩 싸 들고 갔으니 밤 11시나 되어야 올 것이고, 남편은 3박 4일의 출장 중이니 날이 저물어도 서두를 일이 없다. 더욱이 나는 한나절 심신이 지치게 일을 한 뒤라 당당히 휴식을 즐길 권리가 있다. 아이들이 올 때까지의 서너 시간은 오로지 내 시간인 것이다. 아이들은 머리가 커져 치마폭에 감기거나 귀찮게 치대는 일이 없이 '다녀왔습니다' 한 마디로 문 닫고 제 방에 들어앉게 마련이지만, 가족들이 집에 있을 때는 아무리 거실이나 방에 혼자 있어도 혼자 있다는 기분을 갖기 어려웠다. 사방 문 열린 방에서 두 손 모두어 쥐고 전전긍긍 24시간 대기하고 있는 형국이었다.

거실 탁자의 갓등을 켜고 커피를 진하게 끓여 마시며 슈베르트의 아르페지오네 소나타를 틀었다. 첼로의 감미로운 선율이 흐르고, 나는 어슴푸레하고 아득한 공간, 먼 옛날로 돌아가는 듯한 기분에 잠겨들었다. 몽상과 시와 꿈과 불투명한 미래가 약간은 불안하게, 그러나 기대와 신비한 예감으로 존재하던 시절, 내가 이러한 모습으로 살아가리라는 것은 상상할 수도 없었던 시절로…… 사람이 단돈 몇 푼 잃는 것은 금세 알아도 본질적인 것을 잃어 가는 것에는 무감하다던가? '드르륵드르륵' 눈을 감고 하염없이 소나타의 음률에 따라 흐르던 나는 그 감미롭고 슬픔에 찬 흐름을 압도하며 끼여든 불청객에 사납게 눈을 치떴다. 무거운 수레를 끄는 듯 둔탁한 그 소리는 중년 여자의 부질없는 회한과 감상을 비웃듯 천장 위에서 쉼 없이 들려왔다. 십 분, 이십 분, 초침까지 헤아리며 천장을 노려보다가 나는 신경질적으로 전축을 껐다. 그 사실적이고 무지한 소리에 피아노와 첼로의 멜로디는 이미 소음에 지나지 않았다.

하루 이틀의 일이 아니었다. 위층 주인이 바뀐 이래 한 달 전부터 나는 그 정체 모를 소리에 밤낮없이 시달려 왔다. 진공 청소기 소리인가? 운동 기구를 들여놓았나? 가내 공장을 차렸나? 식구들마다 온갖 추측을 해 보았으나 도시 알 수 없는 일이었다.

"도깨비가 사나 봐요. 롤러 스케이트를 타는 도깨비."

아들녀석이 머리에 뿔을 만들어 보이며 처음에는 히히덕거렸으나, 자정 넘도록 들려오는 그 소리에 나중에는 짜증을 내기 시작했다. 좀체 남의 험구를 하지 않는 남편도

"한 지붕 아래 함께 못 살 사람들이군."

하는 말로 공동 생활의 기본적인 수칙을 모르는 이웃을 나무랐다.

일주일을 참다가 나는 인터폰을 들었다. 인터폰으로 직접 위층을 부르거나 면대하지 않고 경비원을 통해 이쪽 의사를 전달하는 간접적인 방법을 택하는 것은 나로서는 상대방과 자신에 대한 품위와 예절을 지

키기 위해서였던 것이다. 나는 자주 경비실에 전화를 걸어, 한밤중에 조심성 없이 화장실 물을 내리는 옆집이나 때없이 두들겨 대는 피아노 소리, 자정 넘어까지 조명등 쳐들고 비디오 찍어 가며 고래고래 악을 써 삼동에 잠을 깨우는 함진아비의 형태 따위가 얼마나 교양 없고 몰상식한 짓인가, 소음 공해와 공동생활의 수칙에 대해 주의를 줄 것을 선의의 피해자들을 대변해서 말하곤 했었다.

위층의 소리는 멈추지 않았다. 드르륵거리는 소리에 머리털이 진저리를 치며 곤두서는 것 같았다. 철없고 상식 없는 요즘 젊은 엄마들이 아이들에게 집 안에서 자전거나 스케이트 보드 따위를 타게도 한다는데, 아무래도 그런 것 같았다. 인터폰의 수화기를 들자, 경비원의 응답이 들렸다. 내 목소리를 알아채자마자 길게 말꼬리를 늘이며 지레 짚었다. 귀찮고 성가셔하는 표정이 눈앞에 역력히 떠올랐다.

"위층이 또 시끄럽습니까? 조용히 해 달라고 말씀드릴까요?"

잠시 후 인터폰이 울렸다.

"충분히 주의하고 있으니 염려 마시랍니다."

경비원의 전갈이었다. 염려 마시라고? 다분히 도전적인 저의가 느껴지는 전언이었다. 게다가 드르륵드르륵 소리는 여전하지 않은가? 이젠한판 싸워 보자는 얘긴가? 나는 인터폰을 들어 다짜고짜 909호를 바꿔 달라고 말했다. 신호음이 서너 차례 울린 후에야 신경질적인 젊은 여자의 응답이 들렸다.

"아래층인데요. 댁이 그런 식으로 말할 건 없잖아요? 나도 참을 만큼 참았다고요. 공동 주택에는 지켜야 할 규칙들이 있잖아요? 난 그 소리 때문에 병이 날 지경이에요."

"여보세요. 난 날아다니는 나비나 파리가 아니에요. 내 집에서 맘대로 움직이지도 못하나요? 해도 너무하시네요. 이틀거리로 전화를 해

대시니 저도 피가 마르는 것 같아요. 저더러 어쩌라는 거예요?"

"하여튼 아래층 사람 고통도 생각하시고 주의해 주세요."

나는 거칠게 수화기를 내려놓았다.

"뻔뻔스럽긴. 이젠 순 배짱이잖아?"

소리내어 욕설을 퍼부어도 화가 가라앉지 않았다. 그렇다고 언제까지 경비원을 사이에 두고 '하랍신다', '하신다더라' 하며 신경전을 펼 수도 없는 일이었다. 화가 날수록 침착하고 부드럽게 처신해야 한다는 것은 나이가 가르친 지혜였다. 지난 겨울 선물로 받은, 아직 쓰지 않은 실내용 슬리퍼에 생각이 미친 것은 스스로도 신통했다. 선물도 무기가 되는 법. 발소리를 죽이는 푹신한 슬리퍼를 선물함으로써 소리를 죽이라는 메시지와 함께 소리로 인해 고통받는 내 심정을 간접적으로 나타낼 수 있으리라. 사려깊고 양식 있는 이웃으로서 공동생활의 규범에 대해 조곤조곤 타이르리라.

위층으로 올라가 벨을 눌렀다. 안쪽에서 '누구세요?' 묻는 소리가 들리고도 십 분 가까이 지나 문이 열렸다. '이웃사촌이라는데 아직 인사도 없이……' 등등 준비했던 인사말과 함께 포장한 슬리퍼를 내밀려던 나는 첫 마디를 뗄 겨를도 없이 우두망찰했다. 좁은 현관을 꽉 채우며 휠체어에 앉은 젊은 여자가 달갑잖은 표정으로 나를 올려다보았다.

"안 그래도 바퀴를 갈아 볼 작정이었어요. 소리가 좀 덜 나는 것으로요. 어쨌든 죄송해요. 도와 주는 아줌마가 지금 안 계셔서 차 대접할 형편도 안 되네요."

여자의 텅 빈, 허전한 하반신을 덮은 화사한 빛깔의 담요와 휠체어에서 황급히 시선을 떼며 나는 할 말을 잃은 채 부끄러움으로 얼굴만 붉히며 슬리퍼 든 손을 등 뒤로 감추었다.

양귀자

들 풀
다시 시작하는 아침

지은이

1955~ 전북 전주 출생. 원광대학교 국문과 졸업. 1978년 《문학사상》 신인
상에 〈다시 시작하는 아침〉이 당선되어 문단에 데뷔했다. 주로 가난한 봉급
생활자와 도시 변두리 사람들 등, 사회의 중심에서 밀려나 있는 사람들의 소
외된 삶을 그리고 있다. 작품집으로는 《귀머거리새》, 《원미동 사람들》, 《침묵
의 계단》 등이 있다.

들 풀

담배 한 대를 다 태우기도 전에 나는 이미 거리의 끝에 서 있었다. 드문드문 보이던 인가가 사라지고 대신 황토질의 밭이 볕살 아래 메마른 몸을 던져 왔다. 밭을 넘어 시선을 옮기면 별수없이 또 바다일 터, 나는 고랑에 박혀 있는 돌덩이들을 물끄러미 바라보다가 맥없이 돌아섰다. 땅바닥에 떨어진 난쟁이만한 자신의 그림자를 발로 툭툭 차 던지며 되돌아오는 어느쯤에 팬 웅덩이가 하나 있었다. 상징을 주로 하는 삽화처럼 웅덩이 안으로 웅숭그리며 떨어지는 그림자에 대고 하릴없이 침을 뱉고 난 뒤 난 새삼스레 이 남도의 끄트머리 읍을 둘러보았다.

몇몇 사람들이 문을 활짝 열어 놓은 음식점 안으로 들어서고 있는 중이었다. 공교롭게도 그 순간 더러운 러닝을 입은 한 소년이 알루미늄 상자에 든 자장면 그릇들을 거리에다 부려 놓았다. 기다란 호스가 담겨진 커다란 함지박이 노천에서 그것들을 씻어 낼 모양이었다. 좌표를 잃고 떠도는 객지에서의 어느 오후, 나는 비로소 한 가지 결심을 해 내었다. 자장면말고, 어떤 다른 것으로 우선 점심을 먹도록 하자. 삼십 도를 오르락거리는 무더위를 식혀 주는 해풍에 머리카락을 헝클어뜨리며 나는 주위를 두리번거렸다.

녹동식당이란 곳에서 나는 칠백 원짜리 백반을 주문했다. 쟁반에 가득 찬 반찬 그릇들을 식탁 위에 즐비하게 늘어놓고 돌아서는 아낙의 몸

에서 갯내가 풍겼다. 해물은 물론이고 산채에 육류까지 고루 갖춘 식탁
은 이 곳에서가 아니면 도저히 상상도 하지 못할 진수성찬이었다. 문득
선창 쪽에서 가슴을 흔드는 둔중한 고동이 들려왔다. 그 소리에 한 떼
의 손님들이 서둘러 보리차로 입을 헹구며 일어섰다. 아직 떠날 시간이
멀었는디 찬찬히 잡수쇼 잉. 아낙이 와그락와그락 그릇을 헹구며 말렸
지만 그들은 가 버렸다.

“어디 가는 배요?”

이 곳에 와서 처음 듣는 무적 같아서 내가 물었다.

“여수 가는 밴디 이틀에 한 번씩이라요.”

아낙은 바깥으로 구정물을 확 끼얹으며 대꾸했다. 그리곤 생각난 듯
선풍기를 내 쪽으로 돌려 주었다.

그 여자를 잡아들여 사실을 명명백백하게 밝히지 않는 이상 당신이
공범이 아니라는 것을 증명할 수 없잖소? 그 말이 김 형사의 상투적인
덫이란 것은 알고 있었다. 한데도 당장 혀를 밀고 튀어나오려는 한 마
디 말을 참는 데 상당한 인내가 필요했다. 그 여자를 내일이라도 찾아
올 수 있소. 이 극명한 진술을 혀 밑에 묻어 두고 취조실을 나오면서 나
는 세상의 모든 진실을 두루 증오해 마지않았었다.

그리고 시방 나는 이 곳에 와 있었다. 그 여자를 찾아내기 위해서. 김
형사의 야비한 덫과 형수의 증오에 찬 눈길을 뿌리째 팽개치기 위해서.
그러나 이 무력감이라니. 칠백 원짜리 백반 한 그릇조차 다 비우지 못
하고 나는 파리들에게 성찬을 떠맡긴 채 또다시 무료한 낯빛으로 거리
에 나섰다.

녹동읍에 도착한 것이 언제였던가. 발꿈치를 늘어올리고 고개를 위로
빼들면 멀리 지나는 통통배가 보인다는 것 외에 여느 시골 읍과 조금도
다를 바가 없는 이 곳에 와서 죽친 지도 벌써 사일째였다. 하기야 전혀

성과가 없었던 것은 아니었다. 오던 다음 날로 우연히 여자의 행방을 파악했으니 일의 반 이상은 이루어 놓은 거나 다름이 없었다. 낮이건 밤이건 보잘것없는 읍의 동서남북을 쏘다니며 곁눈으로 본 것까지 일일이 확인하는 것도 기실은 여자와 마주치지나 않을까 하는 기대 탓이기도 했다.

그러면서도 여전히 나는 망설이고 또 망설였다. 왜 망설이고만 있는지에 대해선 아무리 추리해도 언제나 오리무중이었다. 나는 분명하고도 단호해야 될 공격수임에도 불구하고 도무지 손을 내밀 수가 없었다.

선착장에 닿기도 전부터 부산한 기척이 우르르 몰려오는 것을 느끼며 나는 밑도 끝도 없이 하늘을 향해 허어 헛웃음을 쳤다. 이놈의 땅덩어리. 나는 속으로 그렇게 말하였다. 어디든 모두 담배 한 대 거리인 이 작은 동네가 가진 저 무한한 바다라니.

나는 문득 두고 온 서울을 생각했다. 뛰고 달리며 살아도 언제나 뒤처지던 도시, 게다가 뜯어 내고 팽개쳐도 언제나 절망뿐인 도시에서 놓여나자 긴장이 풀려 맥이 빠져 버린 건지도 몰랐다. 그래서 저 바다는 이렇게 말하는 듯했다. 서두르지 마, 아직도 늦지는 않았다구.

언제나처럼 나는 크고 작은 배들이 분주히 닻을 내리거나 엔진을 거는 선착장을 지나쳐 방파제 끝에 가 앉았다. 그리고 눈을 들면, 송림들의 덩어리라고밖에 말할 수 없는 소록도가 있었다. 팔을 뻗치면 닿을 것 같은 그 곳에선 마악 철선 하나가 뜨고 있었다. 댓 명이나 될까 한 승객들은 볕을 막기 위해 기관실이 만들어 낸 손바닥만한 그늘에 몰려 있었다. 저들 중에 몇이나 눈썹을 못 가진 사람일까.

나는 주머니를 뒤져 담배와 성냥을 찾으면서 내가 가진 기억 중에 아직도 고스란히 남아 있는 보리피리를 들춰내 보았다. 그러나 매양 들여다보아도 소록도는 보리피리 그 이상도 그 이하도 아니었다. 그들에게

눈썹이 없다면 내게는 내일이 없다. 그들만큼의 형을 이미 감수한 내게
또 이만큼의 부채가 새로 생긴 것을 보면 나의 보리피리는 그 어디에도
없을 터였다. 전마선들의 간단없는 엔진 소리를 들으며 나는 필터까지
타 들어간 꽁초를 길게 내던졌다. 한낮의 바다에 그것은 길게 포물선을
그으며 떨어져 내렸다.

그 여자는 사팔뜨기였다. 그리고 대단한 골초였다. 녹동에 오자마자
이 두 가지만으로 당장에 그녀를 찾아낼 수 있었을 만큼 그것이 그녀의
전부라고 말해도 좋았다.

여자의 시선은 언제나 내 왼쪽 머리통에 닿아 있었다. 한낮을 지키는
두 명의 파수꾼이 교환하는 시선은 그래서 줄곧 평행으로만 이어졌다.
형 내외의 출근이 끝나고 성민이도 유치원에 가고 나면 여자가 아래채
의 자신의 방문을 열었다. 갇혀 있던 담배 연기가 햇빛 속에 얼키고 설
키며 빠져나가는 것을 보는 여자의 사시는 인상적이었다.

밤출근하는 여자지만 말썽이 없어서 좋아요. 애 딸린 사람들에게 방
줬다간 집 망치기 딱 알맞지요. 형수가 안심해도 좋을 만큼 여자는 기
척을 내는 데 조심스러웠다.

"애들 보는 앞에선 담배를 피울 수가 없어요. 그게 내가 가진 유일한
양심이고요."

햇빛에 뿌리를 드러낸 잡초 같은 여자. 나는 동굴 속 같은 방 안에서
담배 연기만 뿜어내고 있는 여자를 언제나 시든 잡초에 견주어 보곤 했
다.

물이 드는 때인가. 방파제의 마른 시멘트가 조금씩 파도에 젖어 가기
시작했다. 자세히 보니 바닷속엔 온갖 것이 다 있었다. 해초 가닥과 지
푸라기, 빛 바랜 헝겊 조각과 수박 껍질들이 밀려오는 파도에 휩쓸려
바닷속으로 곤두박질했다간 이내 다시 떠올랐다.

물에 씻겨도 쓰레기는 항상 쓰레기였다. 불어터진 수박 껍질은 파도에 세수하고 다시 떠오를 때마다 더욱 추해져 갔다. 비슷하군. 나는 그렇게 중얼거려 보았다. 언제나 새로 출발할 수 있는 기회만을 엿보다가, 번복하고 또 번복하며 날로 피폐해 가는 스스로를 냉소하면서였다.

"성민이 유치원에서 돌아오면 삼촌이 목욕 좀 시켜 주세요. 점심때 국은 꼭 데워서 주시구요. 다섯 시에 태권도 보내는 것 잊지 마세요."

아침마다 노래하듯이 읊조리는 형수의 지시 사항을 유념해서 듣는 일은 중요했다. 나는 말하자면 형 집의 가정부에다 보모에, 집 지키는 도사견쯤이었다. 어차피 거느릴 시동생에게 떠맡긴 이중 삼중의 작업량을 여간 고소해하지 않는 형수나, 민망한 일이라면 처음부터 못 본 척하려는 형이나, 맡겨진 일에 길들여지기를 원하는 충직한 나나 기실 비슷비슷한 부류였다.

나는 그 모든 상황을 사뭇 객관적으로만 보려 애썼다. 나를 수술대 위에 눕혀 놓고서 이리저리 메스를 가하던 일에는 이미 일가견을 넘어섰던 때였다. 내가 누리고 있는 대문 안의 자유는 메스를 들이댈 곳이 더이상 남아 있지 않게 되면서부터 가능했고, 이어서 그것은 퇴락한 은둔 생활의 맛까지도 내보이게 되었으므로 그럭저럭 견딜 만하다고 생각하던 시절의 처음이었다.

하지만 제적 통지를 받아 들었을 때의 그 비릿한 현기증을 잊게 되리라는 기대는 처음부터 갖고 있지 않았다. 새로 날을 간 섬뜩한 단도로 나의 어디쯤을 잘라 내었다 한들 그보다 더 고통스럽지는 않았으리.

이빨이 없으면 잇몸으로라도 살게 마련이라구. 형이 해 주는 위로 아닌 위로의 말마따나 잇몸은 갈수록 이빨 구실까지도 해 볼 모양으로 치덕거리기도 했으나, 여전히 나는 궤짝 속에 담겨진 칸트나 헤겔을 고물장수에게 넘기지 못하였다. 그러나 더이상 책을 사들이는 일 따위는 하지 않았다. 별볼일 없게 되어 버린 미래에 비하면 내가 가진 것들이 너무 많다는 생각뿐이었다.

이 곳에 오래 앉아 있기론 햇살이 너무 따가웠다. 바다 낚시를 가는 도회지 사람들을 태운 조그만 유람선 한 척이 바다 한가운데로 미끄러지면서 구성진 유행가 가락을 흘렸다. 나는 끈끈한 팔뚝을 문지르며 일어섰다.

선착장에선 금산으로 가는 정기 여객선이 손님들을 싣고 있는 중이었다. 두 시가 되면 경박한 고동을 질러 대며 떠나갈 배였다. 나는 느린 걸음으로 그 배를 지나쳤다. 여자들이 꽉 들어찬 선실에서 왁자하니 웃음이 쏟아져 나왔다.

톱밥이 달라붙어 있는 커다란 얼음덩이를 가마니에 싸서 배에 싣고 있던 청년이 문득 돌아서며 내게 말을 건넸다. 불 좀 댕깁시다. 성냥개비를 꺼내는 청년의 손마디가 뭉툭했다. 자세히 보니 그는 두 손 모두 새끼손가락은 갖고 있지도 않았다. 담배를 물고 있는 입술 언저리도 심히 단정치 못했다. 짧은 순간에 청년이 잃은 것들을 모조리 점검한 나는 잠시 아연했다. 성냥갑을 돌려 주며 그가 웃어 보였던 것이다. 저렇게 많이 손상당하고서도 웃을 수 있다니. 청년의 번들거리는 등을 노려보며 나는 맹렬한 적개심으로 손 안에 든 성냥갑을 힘주어 오므라뜨렸다. 그러나 그것을 바다에 던지는 일 따위는 하지 않았다. 성냥갑을 주머니 속에 떨어뜨리고 나는 단호하게 걸음을 옮겼다. 여자를 찾아나설 생각이었다.

여자가 우정여인숙이라는 곳에 거처하고 있다는 말을 들었을 때도 나는 비위가 상하는 느낌이었다. 여자가 거쳐온 삶의 부분 부분들을 들어서 알고 있던 나로서는 그녀가 냄새나는 삶을 이 곳까지 끌고 온 행위를 용서하고 싶지 않았다. 성민이를 유괴해 낸 허무맹랑한 일을 통해 그녀의 모든 게 한 단계쯤을 뛰어넘어 있길 은근히 바랐던 내심 탓이었는지는 모르나, 하여간에 나는 여인숙이란 말과 함께 더한층 여자 찾는 일을 회피하고 있던 것만은 사실이었다.

여자가 내게 자신의 이야기를 내비친 것은 어느 비 오는 봄날이었다. 반쯤 남은 조니워커를 흔들어 보이며 아래채로 건너오라고 말하던 여자는 처음 보는 사람처럼 다감한 웃음까지 띠고 있었다. 아마, 그 여자와 구체적인 이야기를 나누게 된 첫 기회였을 것이다. 여자가 내놓는 안주는 동태찌개였다. 스산한 한기와 축축한 하오의 무료가 나를 여자에게로 가게 했다. 술잔을 든 채 홈통으로 떨어지는 빗물만 바라보던 우리의 침묵 속으로 여자가 갑자기 나, 서른도 넘어 보이죠? 하고 말을 던져 왔다. 나는 빙그레 웃어 보였을 뿐이었다. 아래채에 세든 여자의 나이 따위를 점치고 앉아 있을 만큼 마음이 편안치 못했던 시절이었으니까.

"열일곱부터 영등포에서 공장을 다녔지요. 줄창 라면만 먹었는데도 돈이 모이지 않데요."

여자가 담배를 찾는 눈치길래 말없이 내 담배를 건네주었고, 여자는 흘러간 유행가 가사를 애써 기억하듯 띄엄띄엄 자신의 보따리를 풀어 보였다. 빗속에 방치한 내 맨발은 시렸고 그래서 더욱더 여자의 이야기가 추연하게 들려왔다.

"사변 전에는 시골 우리 집도 꽤 부자였대나 봐요. 뭐 전쟁이란 다 그렇고 그런 거 아녜요?"

여자가 확인을 구하듯 나를 바라보았는데, 여자의 빗나간 시선은 여전히 내 왼쪽 머리통에 닿아 있었다. 한 달내 뜨거운 물에 손을 담그고 있어도 받는 돈은 지랄 같았지요. 지랄이란 말을 듣고 나니 비로소 그녀의 갈라지고 푸시시한 머리칼에서 고향의 냄새를 맡는 기분이었다.

"육 년간 일해 주고 나니 내게 남은 것은 짓무른 손과 끝없는 가난뿐이었어요."

　여인숙들이 옹기종기 모여 있는 골목으로 들어서자마자 나는 라면 냄새와 함께 하수구의 악취까지도 맡아 버린 느낌을 떨칠 수가 없었다. 뒤에 두고 온 바다에서는 아직도 쓰레기 더미가 뭍으로 밀려올 것이고 그 바다를 상대로 성업 중인 이 거리 또한 구역질 나는 냄새뿐이라니 참으로 재미없다는 생각이었다.

　당신, 정말 재미없는 인간이야. 내 이력을 누누이 들추고 난 김 형사의 씹어 뱉는 듯한 말이 떠올랐다. 희망·포구·행복·일등·만복 등의 때 낀 간판을 두리번거리며 헤매는 내 꼴을 본다면 아마 그는 이렇게 말할 것이다. 당신 정말 구질구질한 인간이로군. 나는 미로 같은 골목길을 기웃거리며 이마에 돋은 땀을 손등으로 문질러 닦았다. 행여 여기까지 와서 되돌아가지나 않을까 하는 두려움과 함께 무더운 날씨에 대한 짜증이 솟구쳐올랐다. 여자를 만나서 손목을 쥐어잡고 돌아가야 해. 왜 그 따위 유괴극을 연출했는지 김 형사 앞에서 낱낱이 고하도록 하고 말리라. 덮여지지 않은 하수구에 구두코를 적시고 난 뒤에야 나는 우정여인숙이란 아크릴 간판을 보았다.

　한마디로 말해서 그 곳은 내가 본 여인숙들 중에 가장 여인숙다운 곳이어서 되려 정다울 지경이었다. 손바닥만한 마당과 기역자로 늘어선 때묻은 방문들, 그 위에 명함처럼 내걸린 아라비아 숫자들이 한눈에 다 들어왔다.

　현관 입구에 내실이 보였다. 그 곳에서 수동식 전화기를 붙들고 앉아 낄낄 웃던 중년 사내가 고개를 내밀었다. 그는 두말할 나위 없이 방문들 중의 어느 하나를 가리켜 보이며 앞장을 섰으므로 나는 별수없이 아, 그게 아니고 어쩌고 하면서 낯을 붉혔다. 사내는 시멘트 마당에 비듬을 떨구어 내며 묵묵히 내가 내놓을 다음 말을 기다렸다. 전화기에 대고 낄낄거리던 것과는 딴판으로 어지간히 무뚝뚝한 응대였으나, 그 순간 나는 여자의 이름이 얼른 떠오르지 않아 한동안 더 어물쩡거리지 않을 수 없었다.

하지만 이름을 대어 여자를 찾을 수 있다는 생각은 어리석었다. 내 장황한 설명의 초반부터 흥미를 잃은 기색이 역연하던 사내는 사팔뜨기 운운의 부연 설명에도 시종 건성이었다. 모르겠는데요. 그런 여자는 몰라요. 옆에 그 여자가 서 있다 하더라도 사내의 대답은 전혀 다르게 나올 것 같지가 않았다. 내가 묵고 있는 여관의 이름을 대어 주고 나는 찜찜하게 되돌아섰다. 우정여인숙을 찾아나서는 일이 끔찍하다는 데만 정신을 쏟았기 때문에 이런 낭패는 예상해 보지 않았었다. 여자가 녹동에 있다는 확신이 어느 한순간 물거품처럼 사라져 버리는 듯했다.

나 같은 여자가 공장 다음으로 갈 수 있는 곳이란 어디겠어요? 여자가 다 비워 버린 빈 양주병을 마루 밑에 집어넣으면서 수수께끼라도 내는 것처럼 말했다. 그리곤 비바람을 피해 날렵하게 새 담배에 불을 붙였다. 이제까지 보아 온 여자의 몸짓 중에서 가장 단호하고 정확한 그 행동에 순간 매료되는 기분이었다.

"술만 부어 준 게 아니라 내 모든 것을 다 부으면서도 돈을 벌겠다는 기대는 갖지 않았어요. 그눔의 돈이 나 같은 밑바닥 인생한테까지 올 겨를이 있나요."

시골에서 올라온 지 십 년도 못 되어 청춘까지도 다 빼앗은 영등포를 저주하며 도심으로 진출했다는 여자는 동태 대가리와 무 몇 조각만 남은 냄비에 물을 더 부어 넣고는 뚜껑을 닫았다.

"내 저녁 반찬이에요."

여자의 저녁 반찬이 석유 풍로 위에서 팔팔 끓으면서 알싸한 동태 냄새가 비 오는 마당으로 퍼져 나갔다. 그것은 불현듯 어린 시절의 어머

니를 연상케 해 주었고 막연한 그리움까지 불러일으켰다. 여자의 저녁 채비가 끝나면 성민이가 태권도장에서 돌아올 것이고 나는 연탄을 갈아 넣어야 했다.

여전히 달라붙는 해와 없느니보다 못한 해풍의 끈적거림이 귀찮아서 라도 나는 여관으로 돌아왔다. 나돌아다니기론 적당치 못한 시간이었 다. 여자가 제 발로 나를 찾아오리라는 확신은 강하지가 못했다. 그래도 지금의 내가 할 수 있는 일이란 그녀가 오기를 기다리는 일뿐이었다.

차라리 한 시간쯤의 낮잠이 나를 냉정케 해 줄 것이란 기대로 차가운 온돌에 등을 대고 누워 보았다. 더이상의 우회는 피하고 직접 여자를 만나야 한다는 당위성을 진득히 묻어둔 채.

그 때 나는 비로소 온 방 안을 가득히 채우고 있는 한 묶음의 소리들 을 깨달았다. 아마도 오래 전부터 계속되었을 소리련만 잠을 청하기 위 해 눈을 감자마자 그 소리는 내 머리통 안에 어떤 공명판까지 마련해 둔 양 끈질기게 파고들었다. 목소리의 주인공은 여자였다. 숨소리까지 도 또렷이 잡힐 듯한 성능 좋은 마이크와 확성기, 그리고 앳된 젊음이 구가하는 지칠 줄 모르는 여자의 음성이 삼박자가 되어서 단조로운 리 듬의 노래를 온 거리에 뱉어 놓았다.

예수님 사랑, 예수님 사랑, 예수님 사랑합시다. 할렐루야! 예수님 사 랑…… 여자는 아마 고개를 살랑살랑 흔들면서 한 손으론 무릎을 치며 박자를 맞추는 모양이었다. 자세히 들으면 웅얼대는 듯한 한 떼의 꼬마 들 목소리도 있었으나, 여자의 깐깐한 음성이 단연코 그것들을 눌러 버 렸다. 자, 따라 해 보세요. 예수님 사랑, 예수님 사랑. 옳지! 더 크게! 시이작!

저 소리를 지울 수 있다면. 나는 엉뚱하게도 어려서 읽었던 〈지우개 박사〉란 만화를 기억하였다. 뭐든 쓱싹쓱싹 지워 버리면 완전히 무가 되던 그 신기한 지우개로 저 소리들을 깡그리 지워 뭉갰으면. 도시가 내지르는 온갖 소음들도 잘 견디었으니 그런대로 놓아 두고 잘 수도 있으련만 나는 필요 이상으로 갈급한 심정이었다. 저 목소리의 카랑카랑함이라니. 앞으로 수십 시간을 더 노래한다 해도 끄떡없을 여자를 쳐부수기 위해 당장이라도 뛰어나가고 싶었다.

기어이 나는 자리를 박차고 일어나 앉았다. 딱히 누구에게랄 것도 없이 입 밖으로 상스런 욕을 내뱉기도 하였으나 별반 시원해지지도 않았다. 여자들이란. 담배를 피워 물며 나는 밑도 끝도 없이 그렇게 중얼거렸다. 그러자 여자의 대명사처럼 형수의 새침한 얼굴이, 그 날 성민이를 잃고 길길이 뛰던 충혈된 두 눈이 눈앞에 선연히 떠올랐다. 그래, 여자들이란 눈앞에 있는 것만 보려 들거든.

성민이가 며칠을 두고 졸라 대던 만화 영화를 보여 주겠다고 여자가 자청했던 것도, 그 길로 어린애를 데리고 줄행랑을 친 것도 전혀 우발적인 것임을 나는 알고 있었다. 여자는 눈앞에서 입을 오물거리며 아이스크림을 빨거나 손뼉을 치는 성민이가 그저 귀여워서 당장 어쩌겠다는 생각도 없이 데리고 며칠을 살아 냈을 뿐이라는 게 내 생각이었다.

영등포가 앗아 간 자신의 청춘을 푸념하던 비 오는 날 이후 여자는 별로 입을 열지 않았다. 나 역시 굳이 여자의 방을 기웃거리지 않았으므로 우리는 수돗가에서 혹은 마당을 스쳐 가며 단편적인 대화를 몇 번 주고받는 식의 관계를 유지시켜 왔다. 여자는 여전히 동굴 속 같은 방에 앉아 담배 연기를 뿜으며 언제 끝날지 모를 재수보기 화투를 떼어 보는 게 일이었다. 때론 밤늦게 대문 앞에 주저앉아 취기를 가라앉히는 여자를 본 적이 있었고, 외박한 다음 날 아침, 성민이가 행길 저쪽으로 사라지기를 기다려 들어왔다며 낯을 붉힌 여자를 보기도 했을 뿐이었다.

만화 영화를 보고 이내 돌아오려니 했던 성민이와 여자는 자정이 가깝도록 귀가하지 않았다. 형수나 형의 닦달을 이기지 못해 상영이 끝난 영화관까지 쫓아가 보고 이제쯤이면 돌아왔겠지 하고 대문을 열고 들어서는 내 앞으로 형수가 몸을 던져 오며 포악을 부렸다. 여자가 전화를 했다고 말하는 형도 여느 때와는 달리 나를 노려보았다. 성민이를 유괴했다는 형수의 말을 나는 믿고 싶지 않았다. 그럴 여자가 아니라는 생각과, 충분히 그렇게 하고도 남을 여자라는 생각이 동시에 떠올랐다.

모든 일은 항상 뒤에 처진 인간의 책임으로 돌아가게 마련이었다. 사람들은, 특히 형수와 김 형사는 나와 그 여자를 한패로 몰았다. 게다가 우리들이 가졌던 그 많은 날들의 호젓함이 한 치의 의심도 없이 정사로 연결되었으므로, 나는 정부에다 공범으로서 용의선상의 선두에 노출되고야 말았다. 삶 전체가 모조리 치부이고 취약점투성이인 나로서는 그 이상의 형벌은 상상할 수도 없었다. 나는 솔직히 그 여자를 증오하고 또 증오했다.

성민이는 이틀 밤을 지낸 뒤 종이 가방 가득히 새 장난감들을 넣어 가지고 돌아왔다. 아이는 유괴 사건의 주인공답지 않게 신나는 여행길에서 귀가한 것처럼 흔연히 제 엄마에게 매달렸다. 그렇다고 일이 원만하게 해결될 조짐은 보이지 않았다. 특히나 김 형사는 '인도적인 견지'로 보아서도 강력하게 다스려야 한다고 계속 나를 물고 늘어졌다.

제기랄. 열려 있는 창을 거칠게 닫아 버리면서 나는 또다시 한 마디의 욕을 보태었다. 유리 한 겹으로 막아 보았자 별반 작아지는 소리도 아니었다. 예수님 사랑을 부르짖은 여자는 아직도 쨍쨍한 목소리를 펼쳐 보였고 나의 낮잠은 허사가 되어 버렸다. 담배나 피울 생각이었으나 그것마저 빈 곽이었다. 꾹꾹 눌러서 한 개비도 없음을 확인한 뒤 나는 구겨 버린 담배곽을 손 안에 넣은 채 방문을 열어젖혔다. 할렐루야, 네, 잘했어요. 짝짝짝…… 어김없이 마당에도 쏟아지는 소리들. 오수들을 즐기는지 사위는 적막한데 오직 홀로 유난을 떠는 저 확성기를 떼어서 바닷속에 처넣을 용사는 없는가.

홧김에 뜰의 사철향 가지 속으로 구긴 담배곽을 던져 버릴 양으로 손을 쳐드는 내 앞에 뭔가가 힐끗 나타났다. 드러난 어깨와 새처럼 가는 목 위에 사팔뜨기 눈을 가진 여자가 고개를 갸웃 빼밀었다. 그 때문이었을 것이다. 나는 순간적으로 사철향 가지에 때 낀 학이 한 마리 날아와 앉는 모습을 연상했다.

여자는 재빠른 걸음으로 내게 다가왔다. 맨발에 걸친 샌들의 끈을 풀기 위해 엎드린 여자의 등을 보면서 나는 부르르 몸을 떨었다. 작고 야윈 등을 반이나 덮은 긴 머리채를 잡고 여자를 흔들어 대고 싶다는 충동이 솟구쳤다. 하지만 나는 아무런 짓도 하지 않았다. 대신 여자가 들어올 수 있도록 조금 자리를 비켜 주었다.

여자는 창턱에 손을 얹고서 방 안을 둘러보았다. 그녀가 풍기는 살냄새가 금방 좁은 방 안을 가득 채우는 것 같아서, 나는 손을 내밀어 닫혀 있는 창을 활짝 열었다. 봇물이 터지듯 소리의 볼륨이 높아지고 여자가 입을 열었다.

"여름 성경학교를 시작했어요. 아이들은 간식으로 주는 초콜릿과 미숫가루 때문에 모두 몰려갔지요. 하긴, 나도 그랬으니까……."

여자는 이미자를 듣듯이 찬송가 소리에도 흔연하게 굴었다. 나는 여자의 얼굴을 외면한 채 여태껏 손에 쥐고 있던 빈 담배곽을 휴지통 안에 던져 넣었다.

"삼촌이 오리라고 생각했었어요."

여자가 방바닥을 내려다보았다. 나갑시다. 내가 금방이라도 떨치고 일어설 듯이 보였던지 여자가 황급히 내 팔목을 붙잡았다.

"서울하곤 달라요. 어디를 가든 우린 금방 눈에 띌 거예요."

그녀는 무렴을 감추기 위해 손등을 문지르며 이 곳의 비좁음을, 사람들의 무한한 호기심과 끝없이 이어지는 참견에 대해 토막토막 설명했다. 나는 복도를 지나는 종업원을 불러 담배와 술을 청했다.

"장사를 하신다더니, 나 때문에 못하게 되었나요?'

장사. 갑자기 여자가 내뱉은 말을 듣고 나는 적잖이 당황했다.

장사꾼이나 되어 볼까 하는 생각에 몰두하며 지내다가 돌연 여자의 사건에 휘말린 것은 사실이었다. 어디에서든지 죽은 듯 납작 엎드려 지내는 게 제일 이롭다는 나만의 보신책에 위배되지 않고도 할 수 있는 유일한 직업이라는 결론을 내린 것은 형수가 두 번째 임신을 계기로 직장을 그만둘 뜻을 비쳤던 까닭이었다.

복학도 안 되고 취직도 안 된다니, 그럼 우리가 평생 먹여 살려야 해요? 형수는 형에게 짜증을 부리고 있었다. 매사를 다 그렇게 처리했듯이 모르는 척 딴전을 부리는 형을 위해서라도 이 집에서 털고 일어서야겠다는 생각이었다.

급기야 나는 나의 꿈이 신기료장수임을 깨닫게 되었다. 사과 궤짝에 연장들을 담고, 낡고 닳아빠진 구두의 뒷굽을 갈아 주거나 터진 볼을 기워 주는 일이 왜 그리 신선했는지는 알다가도 모를 일이었다. 전 재산이 든 궤짝을 어깨에 메고 장터마다 돌아다니며 사람들이 흘리고 간 조각난 인심이나마 주워 볼 수 있다면. 나는 신기료장수에서 구두 수선공으로, 그리하여 드디어는 구둣방의 주인이 되는 행로까지도 더듬어 보았다. 나에게 가장 걸맞은 그 무엇이 있다면 구두 수선 이외의 것은 상상할 수도 없었으므로, 여자만 아니었던들 지금쯤 사과 궤짝에 못질을 하거나 멜빵을 달거나 할지도 모를 일이었다.

하지만 지금은…… 나는 가슴속으로 크게 도리질을 했다. 신기료장수고 뭐고 간에 도무지 신선할 턱이 없지 않은가. 그것을 김 형사가 깨우쳐 주었다.

"이번 사건과는 관계가 없는 이야기지만 사회가 들고 있는 자는 대단
히 정확한 거요. 내 직업이란 그 정확함을 음미하는 식도락쯤의 수준
이겠지."

나는 알고 있었다. 그가 즐기는 미각이야말로 무쇠칼에서 빛나는 무
디고도 단단한 살의임을.

어느 새 마이크는 남자에게로 옮아가 있었다. 남자는 여자에 비해 훨
씬 낮고 묵직한 소리를 내었지만, 그래서 더욱 신경에 거슬렸다. 내게
강 같은 평화, 내게 강 같은 평화, 내게 강 같은 평화 넘치네, 할렐루야.
여자는 말간 소주잔을 겁도 없이 비워 냈다. 바스락거리는 과자를 안주
로 하는 술치고는 상당히 과하다는 생각이 들었으나 나는 모른 척했다.

"아이는 왜 돌려보냈소?"

방 안 가득 널려 있는 빨래들처럼 침침하게 우리 사이를 가로막고 있
는 확성기 소리를 밀어내며 드디어 내가 입을 열었다.

"왜 아이를 데려갔는지부터 묻는 게 순서 아닌가요?"

의외로 여자는 깐깐하게 응수했다. 말문이 막힌 나는 턱없이 도도한
여자의 얼굴을 직시했다. 여자의 눈이 빗나간 그대로라도 족히 아름답
다는 사실을 발견하면서.

그 때 열려 있는 방문 앞에서 주인 여자가 나타났다. 손님요, 저녁상
함께 차릴까요? 여자가 나를 향해 고개를 끄덕였다. 그리곤 빈 술병을
쳐들어 보이며, 이것도 더 갖다 주세요 하고 말했다. 그런 여자를 보며
나는 문득 녹동이란 곳이 여자에게 준 어떤 활기를 깨닫는 것 같았다.

녹동이란 데를 두어 번 가 보았어요. 그 곳엘 가면 왠지 마음이 편해
서 고향 같다는 생각이 들어요. 언젠가 여자가 내게 그렇게 말했었다.
아마 고향이 어디냐고 묻는 내 말에 대한 대답이었을 것이다. 그 뒤에

도 두서너 번 그 곳의 지척에 있는 소록도 이야기를 했었고 그 때마다 여자는 진지했다.

"어디에서건 나환자들을 만나게 되더군요. 공포심은 처음뿐이고 그들과 친해지고 싶다는 유혹이 솟아요. 그들에 비해 가진 것이 많다는 자부심 때문일까요. 베풀고 싶어지는 마음뿐이니 꼴에 참 우습지요?"

내가 꿈꾸는 신기료장수나 여자가 소록도를 향해 품고 있는 우월감이나 뭐 크게 다를 것은 없지 않은가. 담배를 안주 삼아 연신 잔을 비우는 여자의 모습을 측은하게 봐 주려 하는 이 알량한 동정심까지도 싸잡아서 모두 같은 질의 것이려니. 나도 묵묵히 여자의 이야기를 기다려 보기로 했다.

"영등포 술집을 전전하던 때, 내가 남자를 만나 살림이란 것을 차렸다는 이야기를 했던가요?"

대답은 확성기에서 퍼져 나왔다. 할렐루야! 성경학교의 하루는 참으로 끈질겼다. 반복되는 노래 연습과 고조된 억양의 기도 이외의 레퍼토리를 준비치 못한 성경학교 반사들의 무능을 혐오했다.

"아이를 하나 낳았지요. 사내아이였어요. 난생 처음 품에 안은 갓난아이였다구요. 너무 행복해서 숨이 막힐 것 같았어요."

여자의 손이 떨렸다. 이것이 저 여자에게 남은 마지막 치부려니 생각하면서 나는 여자를 주시했다. 여자의 눈이 크게 벌어졌다. 백일 잔치도 했었어요. 나는 여자의 눈물만은 정말 보고 싶지 않았다.

"아이가 내 얼굴을 알아보고 방긋방긋 웃기 시작할 때, 남자가 아이를 데리고 자취를 감추었어요."

여자가 문득 담배곽을 집기 위해 내 쪽으로 손을 뻗쳤다. 여자는 울고 있지 않았다. 그 남자는 아이만 데려간 게 아니었어요. 내게 남아 있던 마지막의 그 무엇마저 송두리째 뽑아 갔어요.

여자는 한 마디 한 마디를 정확하게 발음하기 위해 안간힘을 쓰는 것 같았다. 여자가 마신 술과 태워 없앤 담배가, 그 과거와 더불어 껍데기 뿐인 육신을 하염없이 괴롭히고 있을 터임에도 불구하고, 여자는 인터뷰를 하는 주인공처럼 자신의 말에 신중을 기하고자 했다.

그 모습이 나를 갈증나게 했다. 목이 마르다, 라는 생각으로 냉수를 청하려는 순간, 나는 방 안에 흐르는 정적을 보았다. 분명 그것은 귀로 듣는 게 아닌 시각의 확인이었다. 주황의 놀이 어둠에 침식당하기 직전의 서글픈 애조를 띤 채 구석구석을 물들이는 것을 보았듯이, 나는 소리가 죽어 없어진 공간에 대신 앉은 정적 또한 눈으로 보았다. 녹동에서의 또 하루가 마감하는 시간이었다. 그리고 조금 이른 저녁상이 들어왔다.

당신이 지쳐서 쓰러질 때까지 난 이 사건을 붙잡고 있겠소. 어금니 사이로 새어 나오는 김 형사의 말을 들으면서 나는 아마 신기료장수를 생각했을 것이다. 나의 장래 희망이 해어진 신을 깁는 떠돌이 신기료장수인 줄을 이 자가 알고 있기나 한가. 내가 할 수 있는 유일한 일이 한 사람의 소신 때문에 무너진다고 해도 할 수 없다는 생각이었다. 언제나 그래 왔으니까.

그렇다고 이 여자가 녹동 땅에서 살고자 하는 꿈을 내가 무너뜨릴 수도 있다고는 여겨지지 않았다. 그게 나와 김 형사 간의 차이라고 단정해 버리면 그만이겠지만, 생각의 갈피는 그리 쉽게 챙겨지지 않았다. 김 형사는 나를, 나는 여자를, 이란 허무맹랑한 숨바꼭질에서 나만을 빼내어 어디 하수구에라도 던져 버리고 싶었다. 밥상 앞에 앉아서도 술잔만 비우고 있는 저 여자마저도 가능하면 숨바꼭질에서 제외시키고 싶었다.

허망하다. 나는 아예 밥그릇을 바닥에 내려놓으며 그렇게 생각했다. 여자는 내 잔에 술을 따르고 병 밑바닥에 조금 남은 술을 목구멍에 털

어 넣었다.

"마셔도 마셔도 취하지 않을 사람들이로군요, 우린."

그러나 여자의 혀는 제대로 풀리지 않았다. 창백한 얼굴이 형광등 아래서 희게 빛났다. 갑자기 여자가 코나 풀듯이 볼에 흐르는 눈물을 쓰윽 훔쳐 냈다. 울고 있는지조차 모르고 있던 나는 돌연한 눈물에 놀랐다. 고장난 눈물샘. 여자 역시 자신이 울고 있다는 사실을 깨닫지 못하고 있는 것처럼 보였다.

고장난 샘에서 흐르는 눈물을 외면하며 나는 방바닥에 두 손을 짚고 기어서 창가로 갔다. 하늘엔 별이 없었다. 밤이면 잔뜩 엉겨붙는 저 짙은 안개 탓이었다. 그 대신 동쪽 하늘에 붉은 네온의 십자가가 선명하게 돋아 있었다. 가장 충동적이고 섬뜩한 색깔로 치장한 십자가를 덮으며 김처럼 서려 오르는 안개다발을 얼핏 보았다고 생각한 때, 여자가

등 뒤에서 치익 성냥을 그었다. 돌아다보니 술도 담배도 바닥이 난 채
였다. 여자는 담배도 없이 무작정 성냥만 그어 댔다. 가만 놓아 두면 성
냥개비가 남아날 것 같지 않았다. 모자란 것들을 구하기 위해 나는 밖
으로 나왔다.

종업원을 부를까 하다가 나는 직접 가게를 찾아갔다. 취기 속의 바람
이 정신을 맑게 해 주었다. 술과 담배, 오징어 따위들을 봉투에 담아 들
고서 한참을 더 바람을 쏘이다 돌아와 보니 여자는 밥상 밑으로 웅크려
누운 채 잠들어 있었다.

왼쪽 팔을 베고, 다리를 한껏 오므리고 누운 여자는 놀랄 만큼 작았
다. 여자는 가득 찬 재떨이나 빈 술병들과 함께 소금 큰 부뇌의 쓰레기
처럼 보였다. 나는 빈 술병들을 벽을 따라 일렬로 세워 놓고 어지럽혀
진 주위를 대충 거두었다. 그리곤 여자의 머리에 베개를 괴어 주고 잔

뜩 웅크리고 있던 다리도 편하게 해 주었다. 불빛 아래 드러난 맨발이 서늘해진 밤공기 탓인지 차가웠다. 나는 두 손을 펴서 조심스레 여자의 맨발을 감싸쥐었다.

소주병이 하나 쓰러지는 소리가 들렸다. 칼칼한 목구멍으로 마른침을 삼키며 괴로워하다 얼핏 잠이 든 나는 그 소리에 번쩍 눈이 뜨였다. 희미한 빛이 창밖에까지 온 모양이었으나, 방 안은 아직 어두컴컴했다. 그때 한 가닥 찬기운이 얼굴을 스치고 지나갔다. 나는 얼른 여자가 누워 있던 자리를 살펴보았다. 빈 베개와 구겨진 홑이불이 발치께에 뭉쳐 있을 뿐 여자는 없었다.

방문도 비스듬히 열린 채였다. 여리고 얇은 빛 속에서 여자가 대문을 열었다. 침착한 손놀림 때문에 대문은 섬세하게 팔을 풀고 벌어졌다. 여자는 별로 서두르지도 않고 빈 골목으로 나섰다.

여자는 골목의 중간쯤에서 멈추었다. 그리곤 손가락을 집어 넣어 차근차근 머리를 빗어내렸다. 다음엔 구겨진 치마의 주름을 손바닥을 활짝 펴서 훑어내리곤 고개를 뒤로 돌려 옷매무새를 점검했다. 이윽고 여자는 조금도 흐트러지지 않은 걸음걸이로 서서히 밝아 오는 새벽 속을 단정하게 걸어가기 시작했다.

다시 시작하는 아침

 용정고개에서 나는 갈 곳을 모르는 고아처럼 잠시 멍해 있었다. 나의 이 '멍함'은 때때로 별이 되어 하늘로 흘러가고 있었으며, 지척을 분간 못하는 어둠 속에서 그것은 하나의 등대처럼 오히려 나를 부추기었다. 나는 사금파리가 문득 빛을 내는 자갈길을 밟아서 고갯마루턱을 넘어 한없이 먼 저편을 향해 섰다.

 이제부터 나는 뛰리라. 일생을 걸어만 왔었으니 이제쯤은 뛰어도 보리라. 나는 심호흡을 두어 번 하고는 사뭇 뛰기 시작했다. 아랫도리로 차가운 바람이 씽씽 지나가면서 가끔씩 허리가 걸리기도 했으나 뛰는 일을 그칠 수는 없었다.

 그렇게 한참을 뛰었을 때 뒤에서 밝은 불빛이 무대 위의 스포트라이트처럼 내 초라한 신체를 은밀히 어둠 속에서 건져 냈다. 치밀하고 완벽한 어둠 속에서 갑자기 발견당한 나의 모습은 이미 뛰거나 걸을 필요조차 없는 무기력한 고깃덩이로 둔갑해 있었다. 그 강한 불빛은 곧바로 내게 쏟아지며 멈추었고, 운전석 문이 열리면서 텁수룩한 얼굴이 나를 불렀다.

 "뛰는 것보다는 빠를 것잉게."

 트럭이었다. 내가 그의 옆에 편안히 착석한 다음 무심코 바라본 옆창으로 마침 별똥이 하나 길게 떨어져내렸다. 그러나 잠깐 뒤, 하늘은 자국도 없이 쌩둥거리는 얼굴로 창 한켠에 걸려 있을 뿐이었다.

용정고개에서 신도안 대궐터까지는 십 분이면 족했다. 매번 밤기차로 내리는 나는 때로는 걸어서, 때로는 뛰어서, 운 좋으면 택시에 편승해서 신도안에 들어와야 했다. 역에 내려서 전화를 하면 정운은 손수 털털거리는 경운기를 몰고 마중을 나오기도 하였지만, 자갈길에서 한참을 털털거리고 나면 실로 고약한 기분이어서 아예 포기하곤 하였다.

대궐터에서 내린 나는 우선 다방으로 들어갔다. 시골의 다방다웁게 레지는 적당히 미웠고 커피는 넘치도록 붓는, 그러나 복돌이 엄마나 김 주사까지도 소상히 꿰고 있는 마담이 있어서 절대로 불안하지 않는 그런 다방이었다.

우유를 한 잔 마시고 징징거리는 텔레비전을 열심히 바라보고 있을 때, 벙거지 모자에다 군용 점퍼에 우화까지 신은 정운이 나왔다.

"바쁘죠?"

나의 첫인사는 시비조였다. 마음과는 달리 나는 냉정하고자 했다. 물론 바쁠 것이 틀림없었다. 미륵사 창건 이레 재작년부터 치러 오는 이 떡공양만큼 큰 행사는 일찍이 없었다. 그러나 일의 규모가 커서 그것을 빗대 놓고 하는 말은 아니었다. 내일부터 떡공양이 시작될 터인즉, 그가 바빠지는 또 하나의 이유는 공양주인 그 떡보살에 있었다.

떡보살, 이 신도안에서 그녀를 모르는 사람은 없었다. 그러나 나만큼 그녀에 대해서 복잡한 감정을 갖는 사람도 아마 없을 것이었다. 같은 성을 가진 여자끼리면서도 때때로 나는 그녀를 깊이 존경했다가 한없이 경멸하기도 했다.

떡보살은 삼십 후반의 나이에 어울리는 푸짐한 체구가 조금도 눈에 거슬리지 않을 만큼 나름대로 짜임새가 있는 미모의 여자였다. 그녀는 늦가을의 신도안에 나타나서 일주일쯤 숫용추 밑의 암자에서 기거하는 동안 씀씀이의 헤픔이나 화려한 치장으로 신도안 사람들의 입방아에 오르내렸다.

본래 숫용추는 아기 못 낳는 부인네들의 치성터로, 그 곳에는 아기 점지하는 무당의 집만도 다섯 채였다. 계룡산 줄기의 한 골짜기에 자리잡은 숫용추는 말하자면 폭포였다. 물줄기에 팬 암반의 모습은 흡사 여자의 음부였고, 그 곳을 향해 힘차게 내리꽂혀지는 물줄기는 혼신의 힘을 다하는 숫용의 거대한 꿈틀거림이었다. 짓궂은 어떤 이의 말처럼 '처녀가 치성을 드려도 포태할 장소' 임에 틀림이 없을 만도 하였다.

그러나 그녀는 스스로가 말한 대로 치성을 드릴 필요도 없는 과부였으므로 그녀의 출현을 동네 사람들은 '과부의 심심병' 이라고 풀이했다. 그런 그녀가 어느 날 갑자기 미륵사 아래채 방을 치우고 미륵교에 입교하는 것을 보고 나는 선뜻 세상의 오묘한 이치를 깨달았다.

그것은 말하자면 나의 여자다운 예감이었다. 그리고 나의 예감은 고스란히 들어맞아서 오히려 나를 부끄럽게 하였다. 마침 이 곳에 내려와 있던 나는 떡보살의 돌연한 입교에서 막연히 어떤 음욕한 냄새를 맡았던 모양이었다.

미륵교의 교주인 성산은 그녀와 불시에 짝이 되어 미륵의 뜻을 더욱 오묘하게 펴 가는 재주를 부리기 시작했는데, 정운은 이런 경우 성산의 뜻을 거역하지 않는 효심 깊은 아들이고자 하였다. 혹 그 자신이 피해자가 될지라도, 또는 그의 여자인 내가 피해를 입을지라도 정운은 차라리 성산의 뜻을 따랐다.

성산은 그 속명을 용이라 하였으나 깨달은 바 있어 전 우주를 상대로 미륵의 뜻을 세상에 천명하였다. 하지만 이 신노안 내에서 우주를 상대로 하지 않는 종교 단체는 아예 존립하지 않았으므로, 수백에 이르는 많은 종교를 다 제쳐 두고 떡보살이 미륵교에다 거금을 공양하는 것은 아무래도 불가사의한 일이었다.

성산은 그 종교의 근본이 어떻든 간에 인물은 인물이었다. 사리에 밝고 지혜를 방편지 이상으로 활용하는 능력이 있었던 까닭에 미륵교의 법문을 편 지 칠 개월 만에 지금의 미륵사를 지었다. 그러고도 그의 아들을 서울로 유학시켜 현대 철학을 수학케 했고, 아들로 하여금 성산 2세가 되는 것에 불만을 품지 않게 만드는 재주가 있었다.

"사람이란 두 가지를 갖추어야 비로소 사람인 법인데 그 하나는 머리요, 하나는 힘이렷다. 헌데 너는 본시 약골인데다 상도 여자상이라 별수없이 머리 하나라도 트여야 할 것 같다. 너를 공부시킨 것도 다 이런 까닭에서 나온 것이니라. 부모만큼 자식 잘 아는 사람 없다 하였고, 부모를 거역함은 천리를 거역함과 같으니 그리 알거라."

천리라는 것은 바로 성산의 교훈이었다. 하늘의 이치가 세상에 두루 범접하여 만사형통이 다 그에 의한 것으로, 이는 곧 유학에서 말하는 이와 기였다.

'이'와 '기'를 완전히 소유함을 불로 보고 있는 성산이 미륵교라 이름짓고 그에 따라 돌부처를 법당에 모신 처사를 나는 모순의 극치라고 야유하곤 했다.

"정운이란 이름도 사실 그래요. 구름은 형체도 없는 것 아녜요? 거기에다 옳은 것 바른 것을 요구하는 것은 아이러니예요. 구름은 옳고 그름에 편승할 만큼 목적을 지니는 사물은 아니니까요."

'정운'이란 이름은 그의 열 가지도 넘는 법명 중의 하나였다. 그와 성산 모두 정운이란 이름에 의견의 일치를 본 것으로 미루어 짐작하면 그들은 다분히 서정적이었다.

하기야 돌에 관해서는 일가견을 넘어선 것이 또 성산이었다.

"태초에 뜻이 있어서 천륜에 따라 힘을 받은 것이 곧 돌멩이렷다. 해서, 근본 지혜를 뚤뚤 뭉쳐 받은 것이 또한 저 돌이니라. 겉모양만 봐도 우람한 저 바위들이나 냇가의 닳은 돌이나 모두 천리 속에 제자리를 찾는 법이어서, 길가에 구르는 돌멩이 하나라도 모두 제자리를 찾아 고행을 하고 있는 것이다. 인생 역시 결국에는 한 줌 흙이 되며 그 흙이라는 게 또 돌의 마지막 모습이니, 결국에 가서는 살아 있는 모든 것이나 죽어 있는 저 돌이나 다 같은 법이다.”

어미에 ‘……하는 법이다’라고 말하는 것이 성산의 특징이었다. 그러나 그 억양이 어찌나 구성지고 오묘한 장단과 고저를 갖추었는지, 그가 말하는 법이라는 것이 절대 틀린 법이 아니라고 믿어 버릴 정도였다.

점퍼 포켓에 맥없이 손을 찌르고 앉아 있던 그가 나의 ‘바쁘죠?’라는 시비조의 첫인사에 피곤한 웃음을 보였다. 첫 떡공양을 지내던 해에 이미 떡보살이 정운에게 매혹되어 성산과 손을 잡았다는 말을 들어 버린 나는, 그 뒤부터 공양이 있는 12월이면 서너 번씩 이 ‘바쁘죠’라는 말로 내 원망을 다 담았다. 그 외의 어떤 말을 할 수 있는 나도 아니었지만, 그 이상의 직설적인 이유를 삼가지 않을 수 없게 만든 것은 그에 대한 나의 사랑 때문이었다.

도대체 사랑이란 무엇인가? 좋아한다는 것은 싫어한다는 것의 시작이며, 역시 싫어한다는 것은 좋아한다는 것의 시작에 불과한 것이라고 믿고 있는 나이지만 그 많은 역겨움을 다 참아 내고 있는 까닭도 역시 사랑이었다.

“가자구. 여관에 불 넣으라고 일러야지.”

다방을 나오면서 나는 그의 어깨에 묻은 지푸라기를 발견하였다. 그에 대해 다소 차가웠던 나는 일순 지푸라기와 그를 동시에 포옹하였다.

“잠깐만 기다려요.”

묵묵히 앞에 가던 그가 내게로 돌아섰다. 신도안의 저녁 열 시에 우리는 자갈길 위에서 서로를 마주 보았다. 나지막하고 우중충한 동네들이 그의 어깨 너머에서 하나씩 불을 끄고 있는 중이었다.

충청여관 안주인은 나를 보자마자 '아이구, 어쩐지 오실 것 같아 불을 넣을까 했는데 참말 어쩌지유?' 하고 허둥대면서 우선 연탄 집게부터 챙겨 들었다. 별수없이 이부자리를 깔고 앉은 우리는 방바닥이 따뜻해질 때까지 오들오들 떨고 있을 수밖에 없었다. 파란 불이 이글거리는 연탄이 아궁이 속에서 힘찬 열기를 들여보내고 있다는 믿음이 없다면 암담하기조차 할 추위였다.

"올해는 얼마나 돼요?"

나는 이랬다. 그를 증오하면서도 그의 모든 악까지도 이해할 수 있었다. 그래서 가끔가끔 나는 세상의 모든 악과 손잡고 앉아 있는 기분이 될 때가 있는데, 지금 같은 경우 떡보살의 희사액을 물으면서 나는 내 속에 들어앉은 마귀가 발을 뻗는 기척을 들었다.

"쌀 삼십 가마하고 과일 십만 원어치, 돼지 사십 두."

그는 세무 검사 나온 관리처럼 대답했다. 나는 성산이 적어도 공양물의 반절은 도매 상인에게 넘겨 백오십 정도는 현금으로 차지했으리라고 짐작했다.

떡공양 첫 해, 떡보살은 쌀 백 가마를 내놓았다. 그 때까지만 해도 성산은 한 가마니도 축내지 않고 백 가마를 고스란히 떡으로 쪄 냈다. 떡보살을 부각시키기 위해서는 그만큼의 과시는 필요하다고 본 성산의 계산이었다. 그 해 열 가구에서 꼬박 일주일을 만들어 낸 흰떡이 신도안 내의 모든 집에 푸짐히 돌려졌다. 어지간한 집의 명절 떡에도 충분한 분량이었다.

참 그 날은 볼만했다. 시루에서는 안개처럼 푸진 김이 올라왔고 미륵당 앞뜰에는 신도안 주민들의 거의 반절 이상이 이 기상천외한 구경

거리를 위해 알뜰히 운집했다.

"과부란디 혼자 운수 사업인가를 한대유."

이것은 정류장 앞에서 주막을 하는 곰보 아줌마의 말.

"운수 사업이라니, 사주 관상업 말인가?"

곰보댁 치맛자락을 주인 몰래 넉넉히 서너 번은 열었을 고깃집 털보의 능청을 받은 것은 충청여관의 안주인.

"차 사고가 하도 많이 나니께 이 짓을 하는 모양인디유, 서울서도 알아 주는 부자래유."

"하기야 여자 혼자서 수억을 굴리는 것을 보드라도 통은 대통인게……."

곰보 아줌마의 부러움 섞인 경탄 속에는 백 가마 중 열 가마만 줘도 텔레비전과 냉장고를 살 것인데, 라는 아쉬움이 있었다. 저녁 아홉 시만 되면 문 닫고 옆집으로 연속극 보러 가는 그녀였고, 냉장고만 있으면 여름에 아까운 안줏감 버리지 않겠다고 다짐하는 그녀였으니까.

"근데 어떻게 미륵교를 점찍었는가 몰라. 그야 성산 씨 수단도 보통은 넘으닝게."

충청 아줌마의 말에 나 역시 그럴 것이라고 생각하였는데, 천만의 말씀이라는 듯이 고깃집 털보가 너스레를 떨었다.

"무슨 소리여. 성산 같이 늙은 가짜중 어디가 얼마나 잘났다고 팽팽한 과부가 달라들겄어? 접때 숫용추 가운뎃집 무당이 그러는디, 그 과부가 정운이헌테 깜박 넋을 줘 버렸대여. 아, 그 언젠가 정운이가 가운뎃집에서 이틀인가 묵지 않았남? 그려, 바로 칠성 어메 신령 모실 때 말여. 그 때 저 과부가 정운이헌테 반해 가지고 치성이고 뭐고 싹 집어쳐 버리고 미륵당으로 내려왔다 이거여. 과부라고 젊은 놈 그것이 더 좋다는디는 할말 있어?"

턱보가 곰보의 허리를 툭 치며 헛웃음을 쳤고 곰보 아줌마가 째지게 눈을 흘겼다.

법당에서 보는 정운은 잘 다듬어진 숙련공이었다. 도서관에서 처음 그를 만났을 때는 전혀 그런 얼굴 표정을 갖고 있지는 않았다.

그 때 그는 ≪장자≫를 읽고 있었다. 내게 장자의 호접꿈 이야기를 해 주던 그는 나무랄 데 없는 학자였었다. 나비꿈 속에 머물던 몇 초간 과 장자의 전생을 동일시했던 나에게 그는 '차지위물화' 를 '하나의 개 념을 열 가지로 해석한 차이' 로 풀어 설명했다.

"사람이 스스로 그 자신에게 내리는 자기 판단이라는 것은 영원불멸 한 것은 아냐. 무수히 변하는 한순간의 찰나적인 느낌에 불과한 것이 지."

"물론 그렇죠. 순간이란 것은 때때로 유이기도 하지만, 그보다 더 많 이는 무이니까요."

나는 우선 수긍할 수 있었다. 지금 이처럼 차가운 방바닥이 몇 시간 후에는 틀림없이 뜨거울 것이라는 사실을 의심하지 않듯이, 우선 나는 그를 수긍했다.

"춥지?"

그의 점퍼 포켓에 넣어진 내 차가운 손을 쥐면서 그는 내 얼굴을 오 래도록 들여다보았다. 충청여관 3호실, 이 방에서 그와 나는 숱하게 서 로의 얼굴을 바라보았었다. 서로가 서로에게 속하여 있다고 믿었던 까 닭이었다. 떡보살이 나타났던 몇 해 동안에도 나의 믿음은 여일했었다. 그와 나는 피해자이고 성산과 떡보살이 가해자라고 믿었던 까닭이었다.

그러나 지금의 나는 능동과 수동의 차이만 있을 뿐이라고 생각하는 중이었다. 행위에 참가했던 것으로 보면 그도 역시 가해자의 대열에 속 해 있었다. 그렇지만 확실히 나는 피해자였다. 떡보살만 나타나지 않았더라면 나는 지금쯤 그의 아이 하나를 낳고도 남음이 있었다.

성산은 아들과 나와의 결혼을 격려하는 입장이었다. 처음 성산을 만났을 때 그는 대뜸 '하늘과 땅의 만남'이라고 하였다.

"천생배필이야. 정운이놈의 머리로 고른 여자라면 나 역시 이의가 없어. 좋아! 자넨 기름진 땅이 될 수가 있겠어. 여자란 자네처럼 맺힌 데가 없이 순탄하게 빠져야 되는 법이지. 암, 그렇고말고. 그래야 남자가 마음놓고 쉴 수 있는 법이야."

성산 같은 욕심쟁이가 나의 어디에 점수를 주었는지는 지금도 알 길이 없었다. 그는 며느릿감으로 채택된 나를 이의 없이 받아들여 내년쯤에 길일을 택해 식을 올리자고 했다.

그런데 그 해 겨울에 떡보살이 '돈'이라는 힘으로 성산의 지혜를 막아세운 것이었고, 그 뒤부터 성산은 순리대로 일을 해야 한다고 말했다. 무엇이 순리냐고 물으면 정운은 '급한 불부터 끄는 것'이라고 대답했다. 급한 불, 확실히 과부의 불은 급하기도 할 것이었다. 그렇다 치더라도 떡공양이 있는 섣달 보름날에는 일부러 신도안에 내려와 떡보살의 재물이 되는 정운을 지켜봐야 직성이 풀리는 나의 고달픈 버릇은 도대체 무엇에 연유하는 것일까?

하지만 추위로부터 사랑하는 여자를 보호하기 위하여 이처럼 냉기에 몸을 내맡기고 있는 그를 어떻게 미워할 수 있을까. 지금 이 순간 그가 내 곁에 있을 수 있다는 사실만으로도 나는 떡보살과 성산에게 오히려 뜨거운 감사를 올렸다.

"떡보살은 언제 내려왔어요?"

"초하룻날에 왔어."

"그 동안 쭉 거기에 있었어요?"

"응."

"몇 번이나 같이 잤어요?"

"매일 밤 같이 잤어."

나는 다시 말문이 막혔다. 목구멍으로 쥐를 삼킨 기분이었다. 그의 솔직함이 비위에 거슬리기는 또 처음이었다.

물론 그가 떡보살과 육체 관계를 갖고 있음을 모르는 내가 아니었다. 그것은 이미 이 신도안에서 공개된 비밀이었다. 작년부터 떡보살은 십이월 초순에 내려와 공식적으로 그의 방에서 여장을 풀었다. 그녀가 이곳에 내려올 때 가지고 오는 두 가지 명목, 즉 휴양과 공양을 유감 없이 만족시켜 줄 장본인은 바로 정운이었다.

"오늘 밤도 가셔야 해요?"

"아니, 오늘은 금욕일이야."

나도 오늘이 금욕일이란 것쯤은 알고 있었다. 불공 전날에는 몸을 깨끗이 하고 불공날을 기다려야 했다. 그러나 그런 날이면 그와 나는 더욱더 육체에 탐닉하여 생의 마지막 몫까지 가불하기도 서슴지 않았다. 그와 나는 공범자로서의 은밀한 쾌감에 익숙한 위험한 연인들이었다.

떡보살과 자는 일은 금기라도 나와 자는 일은 금기가 되지 않는 것으로 생각하는 정운의 논리는 그 귀결이 정확해서 나 역시 그렇게 믿었다.

"떡보살과는 확인 이외의 어떤 뜻도 없어. 천리의 확인, 생명의 확인, 순간의 확인……."

"그럼 나는?"

"너와의 그 일은 내게는 일종의 성례야. 온 마음으로 정성을 기울이는 상태니까. 불타에 일보 다가선 경지, 불문으로 들어가는 경지……."

어쩌면 나는 그의 이런 감언이설에 온 희망을 걸고 매달려 있는지도 몰랐다. 그의 논법이 아버지를 거역하지 않기 위해 특별 제조한 것이란 사실쯤 모르는 내가 아니었지만 나는 그 말에 완전히 집착하고자 노력했다. 어느 새 나는 내가 알고 있는 몇 개의 진리를 깊숙한 곳에 처박아두고 완전 봉쇄를 단행해 버린 모양이었다.

가끔은 그녀를 찾아가서 나의 입장을 밝히고, 지금 무엇이 잘못되고 있는가를 따지고 있는 나의 모습을 상상할 때도 있었다. 영악하고 깐깐한 스물여섯의 처녀는 충분히 황혼길로 접어선 그녀를 이겨 내고 있었다. 그럴 때의 나는 잔 다르크보다 더 용맹스러웠다. 그러나 정작 그녀와 맞부딪친 나는 모래알보다 더 작아진 나의 용맹에 스스로 혐오의 혀를 깨물어야 했다.

그녀와 정면으로 맞부딪친 것은 작년 미륵당 앞에서였다. 정운의 좌선 시간이어서 법당 앞 계단에 나는 앉아 있었다. 마침 성산이 대전으로 일을 보러 나갔기 때문에, 나는 마음놓고 따스한 양지에 앉아 그의 등 너머로 보이는 돌부처를 감상하고 있었다. 대리석으로 깎아 만든 그 부처는 탱화를 뒷배경으로 하고 앉아 있었다. 어찌나 정성들여 윤을 냈는지 돌이건만 흡사 보석처럼 단단한 빛을 내고 있는 그것은 절에서 흔히 보는 석가여래상이었다.

부처뿐 아니라 미륵교의 법당은 여느 사찰의 대웅전과 흡사했다. 다만 왼쪽에 걸린 공자의 입상화와 금부처가 아닌 돌부처가 다를 뿐이었다. 나는 비로소 미륵교의 교리가 공히 유·불·선 사상을 함유하고 있음을 깨달았다. 성산의 지론을 떠나서라도, 공자의 입장과 돌부처와 단정한 그의 뒷모습은 삼위일체로 뭉쳐 미륵교가 무엇무엇의 보탬인가를 단박에 알게 하였던 것이다.

그 때 아래채 쪽에서 슬리퍼 끄는 소리가 나더니 떡보살의 모습이 내 눈앞에 나타났다. 처음 보았을 때의 인상보다 훨씬 여자다운 분위기였고, 푸진 체구와는 달리 섬세한 느낌을 주었다. 피해자를 둘씩이나 거느릴 만큼 흉악무도한 가해자의 모습은 아니었다. 혈색 좋은 얼굴 밑으로 뻗어내린 목은 도자기처럼 우아하였다. 무르익은 중년의 아름다움은 겨울 햇볕 아래서 더한층 나를 주눅들게 하였다.

그녀는 계단에 앉아 있는 나를 한참 바라보더니, 당당하면서도 권위 있는 목소리로 무슨 일로 오셨느냐고 물었다.

"정운 스님을 만나러 왔어요."

"그래요? 하지만 스님은 좌선 중인데 다음에 다시 오도록 하세요."

그녀는 내게 퇴장을 종용하고 있었다. 나는 별안간 속이 메슥거려 와서 얼굴을 찌푸린 채 퉁명스럽게 내뱉었다.

"기다리죠 뭐."

내 말에 떡보살은 잠깐 놀라는 표정이더니 깔깔 웃으면서 뒤돌아섰다.

"아무렴, 기다리셔야죠. 퍽 맹랑한 아가씨군."

참으로 부러운 오만이었다. 돌계단의 차가움도 잊은 채 나는 그녀의 값비싼 옷과 장신구가 '힘'의 근원이라고 믿고 있는 성산이 못마땅해 하마터면 소리쳐 정운을 부를 뻔하였다. 그러나 그뿐이었다. 나는 결코 잔 다르크가 될 수 없었다.

드디어 방바닥이 미지근해 오기 시작했다. 나는 조금 지쳐 있었다. 아까부터 달라붙기 시작한 피해자와 가해자의 한계 구분이 나를 그에게서 얼마만큼 객관화시켜 주기 시작했다. 떡공양 삼 년 만에 무릇 나는 인간으로서 대우받기를 간절히 희구하는 한 마리의 사람이 되어 있었다.

"금욕일이래도 상관없어요. 혼자 잘 테에요."

나는 분명히 그에게 혼자라는 말을 해 버리고 말았다. 그 말은 갑자기 나를 흥분과 긴장 속에 밀어넣었다. 그렇다. 나는 이제 혼자 존재해도 좋을 만큼 많이 부대낀 것이었다. 떡보살의 욕망이 나의 욕망보다

무궁무진하게 깊으며 오래 지속될 성질의 것임을 이미 간파하고 있는 이상, '두 여자 사이에서 조화를 찾는 것이 도'라는 성산의 뚜쟁이 같은 이론에 더이상 귀기울일 필요가 없는 것이다. 그러나 나는 망설이지 않을 수 없었다. '혼자'라고 말할 수 있는 것은 오늘 하룻저녁의 혼자에 불과할 뿐이지, 내일도 혼자여야 한다면 틀림없이 나는 두고두고 나의 실언을 책망할 것이 뻔했다.

"가지 않겠어. 아니, 못 가."

다행히도 그는 나의 사려깊은 조바심을 깡그리 묵살했다. 나는 그의 팔을 베고 누워 도대체 그녀의 떡공양이 얼마큼 오래갈 것인지를 생각했다. 이 지긋지긋한 엄동설한을 헤치고 얼마나 더 달려와야 하는지 난감하고 귀찮았다.

우리의 결혼은 순전히 떡보살 그녀 때문에 뒤로 미루어지고 있었다. 성산은 앞으로 삼사 년 더 그녀의 힘을 얻어 낼 작정인 모양이었다. 정운에게는 늘 떡 벌어진 혼인식을 해 줄 테니 기다리라고 하였다. 그는 내게 그 말을 전할 때는 다시 각색해서 '혼인 잔치를 크게 해 주고 싶어서 그러시는 것'이라고 했다.

"사랑해. 그리고 미안해."

정운이 내 허리를 휘감고 입술을 대어 왔을 때 차라리 나는 절망했다. 도대체 사랑이 무엇인가. 나는 내년 이맘 때도 여기에 누워서 사랑한다는 그의 말을 듣고 진저리를 칠 나를 상상했다.

햇살이 쨍쨍하게 내리쬐는 아침, 나는 창틈으로 새어 들어온 선명한 빛줄기에 눈을 떴다. 정운의 자리는 벌써 비어 있었다.

올 공양은 이틀거리였다. 삼 년째 공양은 이틀 치성을 들여야 한다는 성산의 고집이 있었던 까닭에, 자연 판도 더 커질 것이라는 공론이었다. 거기에 발맞춰 상산이 열 섬의 막걸리를 풀기로 되어 있어, 신도안은 물론 용정고개에 사는 남정네들의 군침까지 돋우고 있었다.

미륵사 입구는 멀리서 보아도 오색이 찬란했다. 초등학교 운동회같이 오색기가 펄럭였고 마당으로 천막이 네 개나 펴 있었다. 엄청난 공양이었다. 시시각각 들이닥치는 떡시루와 리어카로 밀려오는 사과·감·귤들, 그리고 돼지머리들로 이미 법당 안은 가득 차 있었다. 공양이 끝나야 음식들을 얻어먹을 것인즉, 몇몇 노름패들은 일찌감치 화투들을 벌이고 있었다.

시간이 되자 정운이 풀기 빳빳한 장삼자락을 휘감으며 나타났고, 뒤이어 성산이 삼베 도포를 입고 수염을 쓰다듬으며 법당으로 들어갔다. 조금 후 사람들 앞에 나타난 이는 소복 단장한 떡보살이었다. 눈부시게 흰 공단에 날아갈 듯한 흰 학이 수놓여 있었다. 얼핏 보면 소복 같은 흰 한복이 그 은은한 수로 인해 지나치게 화려했다. 그녀가 잘 손질된 머리를 매만지며 서둘러 법당 안으로 들어갈 제 머리 부근에 해가 반짝 빛났다.

"몇백만 원 하는 다이아 반지래."

어떤 여자가 침을 꼴깍 삼키며 반짝 빛난 해를 설명했다.

"떡보살 말이 미륵 치성을 드린 뒤로는 차 사고가 한 번도 없었대는 거여. 돈도 어찌 잘 들어오는지 하루 온종일 돈 세기에 바쁘다는구면."

떡보살이 얼마나 부자일까? 나는 그녀와 같은 서울에 살면서도 그녀가 얼마큼 부자인지 모르고 있었다. 그녀에 관한 소식은 신도안에 와야 들을 수 있었으니, 서울이 넓기는 과연 넓은 모양이었다.

그날 밤, 정운은 여관에 들르지 않았다. 공양 때 얼핏 보고는 아직 이야기도 못 건네 본 하루였다. 잠깐이라도 얼굴을 보이고 가는 그였기에 나는 늦도록 바깥 기적에 귀를 모았다. 충청 아줌마가 가끔가끔 내 방을 기웃거리면서 '아직도 안 오셨수?' 하고 물었다. 부끄러웠다. 틀림없이 나는 그를 사랑하고 있었고 그 역시 나를 사랑하고 있는데도 불구하고 이렇게 부끄러울 수가 없었다. 부끄러움을 참고 있는 나의 젊음이, 부끄러움을 주고 있는 그의 젊음이 부끄러웠다.

어린 시절에 나는 언니가 하나 있었다. 언니는 내가 중학교에 들어가던 해 버스에 치여 죽고 말아서 내게는 어린 시절의 기억밖에 없었다. 그녀는 나와 같이 공중 목욕탕에를 다녔다. 나보다 세 살이 위였던 언니는 옷을 못 벗고 주춤거리는 나에게 살짝 눈을 흘기며 말했다.

"쬐그만 게 무에 부끄럽다구……."

그렇지만 번번이 나는 마지막 속옷을 못 벗고 주춤거리기만 해서 늘 그녀는 쬐그만 나의 부끄러움에 눈을 흘겼었다.

부끄러움이란 것은 나이를 먹어 감에 따라 자신이 책임져야 할 도덕적 감정이었다. 때문에 어리디어린 그 시절, 나의 속옷을 못 벗던 부끄러움은 차라리 음흉한 조숙인지도 몰랐다. 하지만 지금 내게 엄습한 이 부끄러움은 조숙도 아니었다. 더욱이 도덕적 감정도 아니었다. 다만 줄에서 떨어진 곡예사의 상처난 자존심이었다.

충청 아줌마가 사과와 감을 들고 다시 내 방을 노크했을 때, 기어이 나는 울고 있었다. 그녀가 들고 온 과일들을 보자 비축해 둔 나머지 눈물까지 쏟아졌다.

"도대체 처녀 나이가 몇이디야?"

"스물여섯이에요."

"쯧쯧, 정운 스님이 올해 스물여덟이지?"

"네."

"얼마나 어울리는 한 쌍이누."

사과 한쪽을 내게 집어 주고 연방 혀를 차던 충청 아줌마가 별안간 목소리를 낮추었다.

"그런데 처녀, 혹시 본당을 새로 짓는다는 소리 못 들었남?"

"본당을 다시 지어요?"

"떡보살이 해동하면 신도안에 공사를 시작한대여. 어마번쩍하게 짓는다는디, 그 돈을 혼자 다 내겠다고 약속했대여. 성산이 천진교에 와서 자랑을 해 쌓는다고 하드만 모르는 일잉게. 하여간 그 과부 돈도 많아……."

갈수록 태산이었다. 떡보살의 공양이 커지면 커질수록 정운은 그들의 먹이 역할에 더욱 충실해야 될 것이다. 앞으로 얼마나 더 그들에게 정운을 내맡겨야 완전한 내 몫이 될까? 그는 이제 그만 효자여도 좋지 않을까? 아니, 지금쯤 넌덜머리를 내고 박차야 할 시기는 아닌가…….

그날 밤 정운은 끝내 오지 않았고, 나는 심란한 마음으로 날을 밝혔다. 아침에 방문을 열어 보니 밖은 밤새 내린 눈으로 찬란히 빛나고 있었다. 나는 둘째 공양에 참석하는 일을 포기하였다. 대신 숫용추 계곡의 편편한 바위에 앉아 시간이 날개를 파득이며 저녁을 향해 날아갈 것을 기다리고 있었다.

보면 볼수록 숫용추의 아랫자리는 여자의 음부였다. 깊게 팬 그 곳의 바닥에는 치성에 쓰다 남은 마른 명태가 허옇게 부풀어올라 하늘을 바라보고 있었다. 섬뜩하도록 짓푸른 물 밑으로 드문드문 보이는 밥찌꺼기·몽당초들이 아기 못 낳고 애태우는 여자들만큼이나 안쓰럽게 보였다.

미륵사에 몰린 사람들 탓인지 계곡은 고즈넉했다. 바위에 앉아 시린 발을 동동 구르다가, 슬픈 노래만을 골라서 부르다가, 노랗게 죽어 있는 마른 풀을 뽑다가, 또 뽑다가 드디어 나는 옅어진 산그늘과 함께 온 밤의 냄새를 맡았다. 추위에 떨며 여관으로 들어오던 나는 충청 아줌마에게서 본당에 관한 속보를 들었다.

"내년 공양은 새로 짓는 본당에서 올린디야. 낙성식인가 뭔가를 함께 한다는디 또……."

충청 아줌마가 내 얼굴을 슬쩍 살피며 말꼬리를 흐렸다.

"그 날 정운이와 떡보살의 결혼식도 올린다고 하드라는디…… 그것은 어디까지나 동리 사람들의 소문잉게 별로 믿을 만한 이야기는 못 되여."

어디까지나 동리 사람들의 소문이라는 말이 차라리 무서웠다. 본당 이야기를 처음 들었던 어제, 이미 나는 거기까지 상상하고 있었으므로 별로 놀라지는 않았다. 그러나 그게 정말 동리 사람들의 소문이라면 동리 사람들 역시 나와 정운이가 결합하기보다는 떡보살과의 혼인을 더 바란다는 뜻이 된다. 사람들이란 자신이 원하는 대로 소문을 만들어 내기 때문에. 결국 나는 발길을 되돌려 정운에게로 갔다. 그를 만나지 않고서는 무엇 하나 확신할 수가 없다. 이처럼이나 명백히 피해자가 되다니, 나는 못난 내 자신이 한없이 혐오스러웠다.

미륵사는 아직 어수선한 잔칫집 뒤끝을 남기고 있었다. 나는 사람들 눈에 띄지 않게 뒤채로 돌아가 정운의 창문 아래 몸을 숨겼다. 방 안에 누가 있는지 알 수가 없어 그를 부를 수가 없었다. 만약 떡보살이라도 와 있다면, 하고 생각하는데 마침 방 안에서 까르르 웃는 것은 분명 떡보살이었다. 숟가락 소리, 밥그릇 부딪치는 소리도 함께 들렸다. 그리고 정운이 무어라 말하는 소리, 그 말을 받아 숨이 넘어가게 재밌어 웃는 그녀의 웃음소리가 벽 저편에서 새어나왔다. 순식간에 나란히 겸상을 받고 있는 그들의 저녁 한때가 남김없이 상상되었다. 생선의 가시를 발라 주고 숭늉을 부어 주고 반찬 그릇을 이리저리 옮겨 주고 있는 그녀의 모습을 안 보고도 넉넉히 그려 낼 수 있었다.

여관으로 되돌아온 나는 차근차근히 이불을 펴고 코트를 벗고 양말을 벗고 이부자리 속으로 기어 들어갔다. 그리고 이불을 머리끝까지 뒤집어쓴 다음 비로소 '엄마아!' 소리부터 내지르며 울음을 터뜨렸다. 요이 땡! 하고 출발 신호를 내리기도 전에 울음은 폭포처럼 쏟아졌다.

그와 결혼하고 싶다. 나도 그에게 생선의 가시를 발라 주고 싶었다. 그와 결혼하지 않고는 살아나갈 자신이 없었다. 그가 나 이외의 다른 여자와 결혼하는 것을 참는 것보다는, 다른 여자와 잠을 자는 한이 있더라도 나와 결혼하는 쪽을 택할 것이었다. 할 수만 있다면 지금 그를 내 곁에 두고 싶었다. 그녀에게서부터 내게로 그를 불러 올 수만 있다면. 신이여, 다른 모든 것을 다 가져도 좋다.

방문을 덜그덕거리는 소리를 듣고 눈을 떴을 때 방 안은 캄캄했다. 울면서도 혹시 그가 올지도 몰라 자정이 넘도록 잠을 자지 않았는데⋯⋯ 눈물이 말라붙어 뻣뻣한 얼굴을 손으로 문대면서 나는 가증할 만한 잠을 잠깐 증오했다.

"누구세요?"

"나야. 문 열어."

"몇 시예요?"

"새벽 두 시. 어서 문 열어."

"무엇하러 오셨어요?"

"무엇하러 오긴. 어서 문이나 열어."

그가 나의 여유 있는 수작에 화를 내기 시작하는 동안, 나는 서울로 돌아갈 것을 결심했다. 떡보살이 떠난 다음에 그를 만나리라. 그리고 그에게 말할 것이다. '나는 당신을 놓치지 않아요.' 라고.

"문 열지 않겠어요. 오늘은 당신을 만나고 싶지 않아요."

"왜 그래? 나를 이해해 줘야지."

"물론 이해해요. 너무나 이해해요. 그래서 문을 열지 않는 거예요."

진심으로 그를 이해했기 때문에 그가 아버지에게 거역하지 않는 것도, 떡보살을 거부하지 않는 것도, 나를 여관 구석에 내팽개치는 것도 다 용납하는 나였다. 혹자는 그를 우유부단하다고 잘라 말할 수도 있으리라. 그러나 그것은 우유부단이 아니었다. 적어도 나는 그가 세태에 부응하면서 고뇌하는 미륵불이라고 믿고 싶었다. 그렇게라도 생각하지 않으면 내 자존심까지도 형편없이 뭉개질 판이었으니까. 나는 기를 쓰고 그를 이해하였다.

"나 내일 올라갔다가 며칠 후 다시 내려올게요. 그 때 이야기해요."

"정말 문 안 열겠어?"

"정말 안 열어요."

"알았어. 그럼 잘 자."

첫 버스를 타기 위해 나는 새벽 여섯 시에 일어났다. 충청 아줌마가 부스스한 머리로 연탄을 갈다가 놀라면서 물었다.

"가시유?"

"네. 곧 다시 오게 될 거예요."

돈을 치르고 대궐터 쪽을 향해 뚜벅뚜벅 걷노라니 계룡산 봉우리마다 아침안개가 철갑을 두른 양 몰려 있는 것이 보였다. 내가 내는 입김이 영하의 새벽에 금방이라도 얼어붙을 듯이 추웠는데, 상봉의 안개는 솜이불처럼 푹신하게 보였다. 대전으로 나가는 첫 버스는 시동이 걸려 있었으나 텅텅 빈 채 한없이 을씨년스러웠다. 나는 창가에 앉아 장갑으로 성에가 낀 유리창을 닦았다. 맑아 오는 유리창 저쪽으로 그가 뛰어오고 있었다.

"집에 가면 어머님께 말해. 내년 십이월에 결혼식을 하겠다구."

나는 멍하니 그를 올려다보았다.

"아버님이 허락하셨어. 본당 낙성식을 하는 자리에서 우리들의 결혼식을 올리는 거야. 하지만 아직은 떡보살 귀에 들어가면 안 되니까 말조심해."

그와 나의 시선이 공범자의 그것처럼 빛을 내며 공중에서 맞부딪쳤다.

"알았지?"

"네."

"미안해. 하지만 잘 참아 줘서 고마워."

끊임없이 부르릉거리는 엔진 소리 속에서 그가 '고마워' 하고 말하자 눈물이 불쑥 솟아오르기 시작했다. 나는 장갑을 벗고 그의 손을 잡았다. 미래의 미륵불이 될 그의 손은 너무나 차가웠다.

차가운 그의 손에 내 손을 대면서 비로소 나는 가해자의 대열로 끼여든 나를 발견하였다. 나는 갑자기 온 세상에 두루 나의 승진을 알리고 싶어서 몸이 근질거리기 시작하였다. 나마저 피해자에서 일약 가해자로 뛰어올랐으니 이미 우리들 사이에 아픔을 가진 자는 없었다. 그래서인가. 다시 부우옇게 흐려진 창밖으로 내다본 신도안의 아침은 평화스럽게 보였다. 그러나 유리창 저쪽은 터무니없이 추울 것이었다.

작품 알아보기
(단편 문학)

〈**사월의 끝**〉은 대수술을 앞두고 병원으로 들어가는 시간을 늦추려는 형수의 마음이 담담하게 그려지고 있다. 〈**미지의 새**〉는 미지의 시간, 특히 죽음에 대한 두려움으로 삶에 대한 믿음이 부서지는 순간을 그리고 있다. 어느쪽을 택해도 허위일 수밖에 없는 삶의 왜소함을 깨달으며, 체념 속에서도 인간에 대한 믿음을 놓치지 않고 있는 작품이다.

〈**역신의 축제**〉는 낯선 전도사의 출현으로 강씨 일가의 세도가 흔들리며 마을 전체의 균형이 깨져 가는 과정을 그리고 있다. 〈**식구**〉는 보상금을 받기 위해 공사장에서 몸을 날리는 만득 씨를 통해 도시 빈민의 고달픔과 생생한 삶의 모습을 담아 내고 있다.

〈**소음 공해**〉는 이웃 간의 교류가 거의 없는 아파트 생활을 소재로 하여, 단절된 인간 관계를 그린 작품이다. 드르륵거리는 소음을 견디다 못해 슬리퍼를 사 들고 위층으로 올라간 '나'는 휠체어를 타고 있는 여자를 보고 부끄럼움을 느낀다. 〈**동경**〉에서 젊은 아들을 먼저 보낸 노부부는 물속처럼 고요한 삶을 산다. 어느 날 아내는 수도 검침을 나온 청년에게 미숫가루를 타 주며 지나친 호의를 보인다. 이 작품에서 '거울'은 들여다보는 사람에게 불안과 고통을 불러일으키며, 육체의 추악한 면을 그대로 드러내는 역할을 한다.

〈**들풀**〉은 형의 집에 얹혀 지내던 '나'가 조카를 유괴해 간 여자를 찾아가는 과정을 그리고 있다. 공장과 술집을 전전하며 들풀 같은 삶을 살아온 여자가 흘리는 눈물 속에서 나는 연민을 느낀다. 〈**다시 시작하는 아침**〉은 계룡산 골짜기의 미륵사에서 정운을 사이에 둔 나와 떡보살 사이의 복잡한 갈등을 그리고 있다.

논술 길잡이
(단편 문학)

❶ 아래 그림은 〈사월의 끝〉의 한 장면이다. 수술을 앞둔 형수
가 목각 인형을 사는 이유를 상상해서 써 보자.

....

....

....

....

....

....

논술 길잡이
(단편 문학)

❷ 〈소음 공해〉의 마지막 장면이다. 슬리퍼를 들고 위층으로 올라간 나는 뜻밖의 상황에 맞닥뜨려진다. 이 상황에서 자신은 어떻게 행동했을지 논술하라.

좁은 현관을 꽉 채우며 휠체어에 앉은 젊은 여자가 달갑잖은 표정으로 나를 올려다보았다.

"안 그래도 바퀴를 갈아 볼 작정이었어요. 소리가 좀 덜 나는 것으로요. 어쨌든 죄송해요. 도와주는 아줌마가 지금 안 계셔서 차 대접할 형편도 안 되네요."

여자의 텅 빈, 허전한 하반신을 덮은 화사한 빛깔의 담요와 휠체어에서 황급히 시선을 떼며 나는 할 말을 잃은 채 부끄러움으로 얼굴만 붉히며 슬리퍼 든 손을 등 뒤로 감추었다.

논술 길잡이
(단편 문학)

❸ 〈동경〉에서 아내는 검침원 청년에게 지나친 관심을 보인다.
아내가 처음 본 청년에게 그런 행동을 하게 된 이유에 대해
논술하라.

....

....

....

....

❹ 〈들풀〉에는 열일곱 살부터 공장을 떠돌며 어렵게 살아온 여
자의 이야기가 나온다. 작품 제목을 '들풀'이라고 정한 작가
의 의도가 무엇일지 생각해 보자.

....

....

....

....

논·술·한·국·대·표·문·학 〈전60권〉

펴 낸 이	정재상
펴 낸 곳	훈민출판사
주 소	경기도 고양시 덕양구 원당동 416번지
대 표 전 화	(031)962-3888
팩 스	(031)962-9998
출 판 등 록	제395-2003-000042호